Y Garreg Neidr

Berlie Doherty

Addasiad
G. Mari Morgan

Argraffiad Cymraeg cyntaf: 2000

ISBN 1 85902 698 2

Cyhoeddwyd gyntaf ym Mhrydain yn 1995 gan
Hamish Hamilton Cyf., Grŵp Penguin,
27 Wrights Lane, Llundain W8 5TZ.

Teitl gwreiddiol: *The Snakestone*

Dymuna'r cyhoeddwyr gydnabod cymorth
Adrannau Cyngor Llyfrau Cymru.

Cyhoeddwyd dan gynllun comisiynu
Cyngor Llyfrau Cymru

Panel Golygyddol Nofelau'r Arddegau:
Elgan Davies-Jones
Rhian W. Griffiths
G. Mari Morgan

*Argraffwyd gan
Wasg Gomer, Llandysul, Ceredigion*

Pennod 1

Mae 'da fi garreg sy'n edrych fel neidr: wedi troi i mewn ar ei hun yn gylch. Y peth mwya gwerthfawr yn y byd i fi. Mae wedi bod 'da fi ers imi gael fy ngeni, ti'n gweld.

Wyt ti'n meddwl am dy enedigaeth di weithiau?

Na, dwy innau byth chwaith. Ond rwy'n meddwl am un peth—oedd fy mam fy eisie i?

Doedd cael ateb i hynny ddim yn beth hawdd. Rwy'n meddwl i mi ddechrau chwilio ar noson y Ffair Fawr.

Gollyngodd Dad fi wrth y parc y noson honno ar ei ffordd i'r dre. Doedd e ddim eisie i fi fynd yno—a dweud y gwir cwympon ni mas ynglŷn â'r peth. Roedd ffair yn y parc ac achos 'mod i'n gwybod bod y rhan fwyaf o 'nosbarth i'n mynd, mynnes i fynd hefyd. Am unwaith o'n i eisie bod yn un ohonyn nhw, un o'r gang, yn gwneud sioe o flaen y merched. Doedd Dad ddim yn gallu gweld hynny.

'Mae 'da ti'r bencampwriaeth genedlaethol mis nesa,' meddai. 'Dylet ti fod yn ymarfer mwy, nid llai. Wy'n synnu atat ti, Daniel.' Mynd 'mlaen a 'mlaen a 'mlaen—dyna Dad i chi. 'Wy'n barod i roi'r amser—pam nag wyt ti?'

Doedd dim pwrpas ceisio dadlau 'da fe. Eisteddais yn y sedd gefn a gadael iddo fe fwydro 'mlaen. Estynnodd Mam draw a gwasgu'm llaw ac o'n i'n gwybod y byddai popeth yn iawn, y byddai e'n gadael i mi fynd i'r parc, ond nid

5

dyna'r pwynt. Dyma'r tro cyntaf i mi ddweud nad o'n i eisie ymarfer, ac roedd e'n ymddwyn fel petai hyn yn digwydd trwy'r amser. Doedd e byth yn fy nghanmol i am yr oriau ac oriau o'n i *yn* ymarfer.

'Wy eisie bod gyda'r lleill, 'na gyd,' meddwn. Syllais mas drwy'r ffenest, gan wrthod dal ei lygaid e yn y drych.

Gollyngodd fi wrth gatiau'r parc a gyrru bant heb ddweud dim. Erbyn hyn do'n i ddim hyd yn oed eisie mynd i'r ffair. Byddai bechgyn eraill y dosbarth ddim yn mynd o gwmpas 'da fi beth bynnag. O'n i byth ar gael os o'n nhw eisie cwmni. Doedd braidd dim arian 'da fi y noson honno chwaith. Os byddwn i'n mynd ar unrhyw reids byddai rhaid i mi gerdded adre. Ac roedd hi'n bwrw glaw. Roedd y gwair wedi troi'n fwd ac o'n i'n gwisgo'n sgidiau rhedeg newydd. Llefai plant bach oedd wedi colli'u rhieni o 'nghwmpas i.

Roedd pob math o sgrechen a gweiddi a chwerthin yn digwydd, cerddoriaeth fyddarol, a goleuadau'n fflachio. Crwydrais o gwmpas yn gobeithio gweld rhywun o'n i'n nabod, dim ond i fi fedru dweud 'Weles i ti yn y ffair neithiwr' yn y dosbarth drannoeth, ac yna mi welais Siwan. Roedd ei hwyneb yn wlyb ac yn disgleirio â glaw, a'i gwallt yn glynu wrth ei bochau fel plu. Roedd hi'n edrych o'i chwmpas, fel petai ar goll neu fel petai'n unig, a dyma fi'n paratoi'n hun gydag anadl ddofn, a mynd tuag ati. 'Hei Siwan,' ro'n i'n ymarfer yn fy mhen, 'hoffet ti fynd ar y rolercôster?' Ond cyn iddi hyd yn oed sylwi arna i goleuodd ei hwyneb yn sydyn a bant â hi tuag at fachgen o ddosbarth arall. Roedd 'da fe ddannedd cam a doedd e ddim hyd yn oed yn gwisgo cot yn yr holl law 'na. Pefriai ei hwyneb gyda'r holl oleuadau o'r reids. Byddwn wedi rhoi unrhyw beth i fod yn lle'r bachgen arall 'na, yn cerdded gyda Siwan, yn dal ei llaw.

Yn sydyn do'n i ddim eisie bod yno rhagor. Dyna'r tro cyntaf yn fy mywyd i mi deimlo nad oeddwn yn perthyn yn iawn i unrhyw un. Dyna pryd ddechreuodd y cyfan. Dechreuais feddwl am fy mam, ac a oedd hi eisie fi pan ges i 'ngeni. Doeddwn i ddim hyd yn oed yn gwybod ei henw.

Maen nhw'n fy ngalw i'n Lisa.

Weithiau rwy'n amau a ddigwyddodd y peth o gwbl mewn gwirionedd. Rhaid bod e—neu pam fyddwn i'n breuddwydio amdano fe o hyd?

Daeth y poenau yn y bola yn ystod y nos. O'n i'n gwybod beth o'n nhw. O'n i'n ofni'r poenau, ond ro'n i'n gwybod beth o'n nhw. O'n i'n ofni sgrechen yn uchel.

Pan o'n i'n gallu sefyll ar fy nhraed es i tu fas, yn araf fel hen fuwch. Es i'r cwt ieir a gorwedd yn y gwellt. Ffowls yn clochdar o gwmpas nes iddyn nhw fynd 'nôl i gysgu. Dim ond fi a'r poenau wedyn.

Yno yn y tywyllwch llithrodd e mas. O'n i'n gwybod beth i'w wneud. O'n i wedi gweld Mam yn cael babi, on'd o'n i?

Roedd Mam a Dad mas o hyd pan gyrhaeddais i adre, ond ro'n i'n falch. Roedd 'na gorddi a churo yn fy mhen, rhyw sgrialu oedd â rhywbeth i wneud â'r olwg ar wyneb Siwan a rhywbeth i wneud â'r gwacter tu fewn i fi. Roedd e'n pallu'n deg â thawelu.

Es lan i'm stafell ac edrych ar y llythyr ges i gan yr hyfforddwr deifio yng Nghaerdydd y llynedd. Dyna oedd y peth mwya gwerthfawr oedd 'da fi bryd hynny.

Annwyl Daniel,

Dwy ddim yn arfer canmol rhyw lawer, felly efallai mai dyma'r unig dro y byddaf yn dweud hyn—a chredais y dylet ei gael ar gof a chadw. Pan welais i ti yn y treialon penwythnos diwethaf ro'n i'n falch ohonot ti. Yn falch iawn. Rwy'n credu'n siŵr y gelli di gyrraedd y brig, gyda thipyn o waith caled. Bob tro y byddi di'n sefyll ar y bwrdd yna rwy am i ti ddweud wrthyt dy hun y gallet ti fod yn un o'r goreuon.

Rwy hefyd wedi dy weld yn gwneud cawl llwyr o bethau, felly paid â gadael i'r sylw 'na fynd i dy ben. Rwyt ti'n gwybod pwy mae'n rhaid i ti ei guro. Yn bersonol, rwy'n credu y gelli di lwyddo. Cer amdani!

Carwyn Evans

O.N. Cofia YMESTYN.

Doedd e ddim wedi 'nghanmol i unwaith ers hynny, felly roedd y llythyr yna'n werth ei gadw.

Ond doedd ei ddarllen eto'r noson honno ddim

yn help. Ro'n i'n dal i deimlo'n gymysglyd a braidd yn unig. Ro'n i'n gwybod 'mod i'n teimlo fel hyn oherwydd y ffordd yr oedd Mam a Dad wedi jest gyrru i ffwrdd a 'ngadael i tu allan i'r parc. Doedden ni ddim yn cwympo mas yn aml.

Es i mewn i'r stafell oedd yn arfer bod yn llofft i'm chwaer ond sy'n swyddfa i Dad nawr. Roedd poster o Michael Jackson ar y wal o hyd, o'r adeg pan oedd Rhian tua deuddeg. Tynnais y ffeil, lle mae Dad yn cadw papurau'r teulu, mas. Doedd dim byd cyfrinachol yno, dim byd na wyddwn amdano ar hyd fy mywyd. Roeddwn i wedi gweld fy mhapurau o'r blaen ac yn gwybod yr hanes ar fy nghof. Ar ôl iddi gael Rhian dywedwyd wrth Mam na allai hi gael babi arall. Roedd hi a Dad yn awyddus i gael bachgen a dewison nhw fi. Ro'n i'n 'sbeshial' medden nhw, achos eu bod nhw wedi 'newis i.

Ro'n i'n gwybod hyn i gyd, ac eto doeddwn i ddim yn gwybod, os ych chi'n deall. Ro'n i'n deall y geiriau am eu bod nhw'n gyfarwydd ac yn hawdd. Ond pan ych chi'n dechrau gwylio geiriau maen nhw'n gallu'ch dychryn chi. Bob dydd ych chi'n rhedeg i lawr y stâr ac yn cyrraedd y gwaelod yn ddiogel, ond y diwrnod y dechreuwch chi feddwl sut yn union ych chi'n gwneud hynny, byddwch chi'n cwympo a thorri'ch gwddf, fwy na thebyg. Roedd un gair yn y papurau yna roeddwn yn gwybod amdano ar hyd fy oes ac yn meddwl amdano drwy'r amser. *Mabwysiadu*. Dyna'r gair.

Roedd y papurau yno i mi gael eu gweld unrhyw bryd y dymunwn. Nesaf, roeddwn am edrych yn y blwch-babi—sef y bocs dal pethau babi. Roeddwn wedi gweld y cyfan o'r blaen wrth gwrs. Dim ond dillad babi, glas, wedi'u gwau, a siôl. Dyma'r pethau oedd amdana i pan wnes i adael y gymdeithas fabwysiadu, ac am ryw reswm mynnai Mam na allai eu taflu. Mae'n cadw pethau babi Rhian hefyd, a rhyw luniau ofnadwy wnes i yn ystod wythnos gynta'r ysgol gynradd.

Doeddwn i erioed wedi bod â fawr o ddiddordeb mewn edrych ar ddillad babi, o bopeth. Ond y noson honno roedd 'da fi ddiddordeb. Es i mewn i stafell fy rhieni a thynnu'r blwch o waelod y cwpwrdd dillad ac eistedd ar y gwely i edrych ynddo. Tynnais y dillad mas, un ar ôl y llall, a cheisio edrych arnyn nhw fel petawn i erioed wedi'u gweld o'r blaen, yn yr un ffordd ag yr edrychais ar y gair cyfarwydd yna 'mabwysiadu'. Roedd y dillad wedi cael eu gosod rhwng darnau o bapur sidan gyda chwdyn o rywbeth i'w gwneud i wynto'n neis. Mae Mam bob amser yn rhoi pethau i gadw fel 'na. Roedden nhw'n edrych yn fach ac yn bert a debyg eu bod nhw wedi'u gwneud yn dda. Tybed ai fy mam naturiol oedd wedi'u gwneud nhw? Fe wnes i rywbeth clyfar iawn wedyn, fel petawn i'n rhyw fath o dditectif arbennig neu rywbeth: edrychais y tu fewn i'r dillad am label i weld a oedden nhw wedi dod o siop. Ro'n i'n gobeithio na fyddai un yno.

Roedd e'n beth twp, ond ro'n i mor falch o weld

nad oedd label arnyn nhw. Rhaid bod hyn yn golygu ei bod hi wir yn mo'yn fi, os oedd hi wedi mynd i'r drafferth o wau dillad babi i fi. Roedden nhw'n ffansi, yn batrymau cymhleth gyda rhubanau sidan trwyddynt a botymau perl. Rhaid eu bod nhw wedi cymryd oesau i'w gwneud. Trwy gydol yr amser roedd hi'n fy nisgwyl i, byddai hi'n gwau'r dillad yma ac yn meddwl amdana i. Roedd hi wirioneddol eisie fy nghadw i, ond er gwaethaf popeth roedd rhaid iddi roi fi bant achos ei bod hi mor dlawd. Neu efallai fod rhaid iddi adael y wlad yn sydyn a'i bod yn methu mynd â fi gyda hi. Efallai ei bod hi'n enwog, yn un o sêr y byd ffilmiau, a'i bod yn gwybod na allai hi roi bywyd cartref iawn i fi gan ei bod hi'n teithio cymaint. Efallai ei bod hi wedi marw pan ges i fy ngeni.

Dyw Mam byth yn gwau. Fe ddywedodd hi wrthyf unwaith bod menywod sy'n gwau yn treulio llawer o amser yn gwylio'r teledu, a dyw hi byth yn gwneud hynny. Dyw hi ddim yn hoffi'r teledu. Fi yw'r unig blentyn yn fy nosbarth sydd heb set deledu yn ei stafell wely. Tynnais y pethau bach wedi'u gwau mas a'u gosod ar y gwely. Roedd yn gwneud i mi deimlo'n rhyfedd tu fewn—meddwl 'mod i wedi bod mor fach â hynny, yn gwisgo pethau bychain, bychain fel 'na. Nid dim ond dillad ar gyfer person bach oedden nhw, fel jîns a chrys chwys wedi'u gwneud yn llai. Na, roedden nhw'n feddal ac yn wlanog, fel petaen nhw'n perthyn i anifail bach. Dychmygais fy mam naturiol yn fy ngwisgo ynddyn nhw ac yn fy nal yn ei breichiau. Petai unrhyw un arall yn y stafell, neu hyd yn oed yn y tŷ, fyddwn i ddim wedi edrych ar y dillad babi yn y modd y gwnes i'r noson honno. Roeddwn fel petawn yn ceisio dod o hyd i fi fy hunan fel yr oeddwn i pan o'n i'n fabi.

Yna, clywais Mam a Dad yn cyrraedd 'nôl. Ro'n i ar fin rhoi'r dillad i gadw'n frysiog pan welais i amlen wedi'i rhwygo ar waelod y blwch. Roedd hi wedi bod yno i mi ei hastudio erioed. Daeth Mam i'r stafell wrth i mi ei chodi. Roedd y llawysgrifen mor wael fel 'mod i braidd yn gallu ei darllen. 'Gofalwch am Sami', dywedai. Pwy yn y byd oedd Sami?

O'n i'n meddwl ei fod e wedi marw. Y peth fel cwningen fach denau'n disgleirio yn y tywyllwch. Gwthiais e dan y gwellt. Cripiais mas i'r tap yn yr iard a golchi fy hun. Llusgais fy hun i fyny i'r gwely. Y tŷ'n anadlu'n dawel. Y rhai bach i gyd yn cysgu. 'Nhad yn chwyrnu'n drwm. Clywed sgrechen yn fy mhen, fel y brain ym mynwent Mam. Roedd e mor uchel o'n i'n meddwl yn siŵr y byddai'r cwm i gyd yn deffro.

Pan ddistawodd y brain, dyma glywed ceffyl gwyllt yn carlamu dros y creigiau. Sŵn fy nghalon o fewn fy esgyrn.

Roedd e wedi'i sgwennu ar gefn amlen wedi'i rhwygo, a honno wedi ei lapio o gwmpas carreg. Ro'n i'n syllu ar rywbeth ro'n i wedi'i weld ac wedi gwybod amdano ar hyd fy oes, ond y noson honno doedd e ddim yn glir nac yn ddiogel rhagor. Roedd fel edrych i bwll o ddŵr brwnt gyda fy wyneb fy hun yn edrych 'nôl arna i.

Roedd Mam yn synnu 'ngweld yn ei stafell gyda'r dillad babi i gyd wedi'u gwasgaru dros ei gwely. Tynnodd ei chot a dylyfu gên, fel petai siarad yn mynd i fod yn dipyn o ymdrech. Yna chwarddodd ac eistedd yn fy ymyl ar y gwely. Cododd un o'r siacedi.

"Drycha ar hwn, Daniel,' meddai. 'Dyma fy ffefryn. Dy siaced *matinée* fach. Dyna beth o'n nhw'n arfer eu galw nhw. Mae'n debyg dy fod i'w gwisgo nhw yn y bore'n unig. Dychmyga ti'n ffitio i hwnna! A dishgwl ar maint y bŵtis!' Dododd hi un ar ben un o'm sgidiau rhedeg, ac edrychai fel un o flodau bysedd y cŵn neu rywbeth, a'r rhuban sidan wedi'i glymu'n dwt.

'Chi wnaeth eu gwau nhw?' gofynnais. Ro'n i'n teimlo braidd yn wirion ar ôl cael fy nal yn mwydro uwchben dillad babi o bopeth. Ceisiais eu stwffio nhw'n ôl i'r blwch ond mi wnaeth hi'm hatal i.

'Rwyt ti'n gwbod na wnes i! Bydde ychydig mwy o dylle ynddyn nhw petawn i wedi! Roeddet ti'n gwisgo'r rhain y diwrnod daethon ni â ti yma.'

'Fy mam iawn wnaeth eu gwau nhw, 'te?'

Cliriodd Mam ei llwnc ychydig. 'Plîs wnei di ddweud dy fam naturiol,' meddai gan fy nghywiro. 'Gan mai hi roddodd enedigaeth i ti. Dyna beth ŷn ni'n ei galw hi. Dwy ddim yn gwbod pwy wnaeth eu gwau. Efallai taw hi

13

wnaeth.' Cododd hi'r bonet a'i rhoi ar fy mhen. 'Dishgwl ar dy hun yn y drych, Daniel. On'd wyt ti'n giwt?'

Do'n i ddim am chwarae. Tynnais y bonet a'i ollwng i'r blwch.

'Pam wnaethoch chi 'ngalw i'n Daniel?' gofynnais iddi.

'Mae'n enw neis.' Plygodd a chodi'r cwmwl o bapur sidan. 'Ac ar ôl dy Wncwl Daniel.'

'Ond dyw e ddim yn wncwl i mi.'

'Wrth gwrs ei fod e.' Roedd hi'n plygu'r dilladach bach fel petaen nhw'n flodau brau, fel petaen nhw'n debygol o chwalu'n ddarnau mân petai hi'n eu trafod yn drwsgwl. 'Fi yw dy fam, a fe yw fy mrawd, felly fe yw dy wncwl. Dyna sut mae teuluoedd yn gweithio.'

Gwyliais hi'n rhoi'r dilledyn olaf i gadw a gosod y clawr yn ei le. Roedd yr amlen a'r garreg yn fy llaw o hyd. Gollyngais nhw i 'mhoced.

'Nid dyna'n enw iawn i,' meddwn.

Trodd i edrych arna i. Roedd hi'n gwenu, ond roedd ei hwyneb yn edrych yn flinedig. Edrychodd fel petai hi'n barod i drafod am amser petai raid, os mai dyna o'n i'n mo'yn. Ond nid dyna beth o'n i'n mo'yn. Doedd dim awydd siarad arna i o gwbl mewn gwirionedd.

'Mae'n well gen i Sami 'na gyd,' dywedais. Am ryw reswm do'n i ddim yn gallu edrych arni hi ragor. Codais, a mynd i'm stafell. Gwthiais y drws ar gau gyda chlep y tu ôl i mi. Roeddwn i'n methu peidio.

Pennod 2

Gorweddais yno'n meddwl, beth os daw Anwen o hyd iddo fe? Beth os daw Dad o hyd iddo fe? Meddwl am Huw bach yn twrio yn y gwellt am wyau, gweld peth marw, tenau fel cwningen.

Gwisgo. Methu peidio crynu, methu peidio llefen. Mo'yn Mam. Gwisgo'r got roedd Dad wedi'i phrynu i mi ar gyfer angladd Mam, wedyn fy sgidiau glaw o'r cyntedd.

Mo'yn y rhaw.

Mas i'r cwt ieir. Ofn mynd mewn.

Dihunodd Dad fi am chwech fore trannoeth. Erbyn i mi lwyddo i ddeffro'n llwyr a chrafangu i'r dracwisg lân yr oedd Mam wedi'i gosod yn barod i mi, roedd e yn y car yn tanio'r peiriant. Llyncais laeth a mewn â fi i'r car ar ei bwys e, gan wneud yn siŵr bod fy mrechdanau, pethau ysgol, a'r bag chwaraeon yn cynnwys 'mhethau nofio, 'da fi. Roedd hi'n dal i fwrw glaw. Gyrron ni mewn tawelwch nes i ni gyrraedd y dre.

'Roedd dy fam wedi ypsetio neithiwr,' meddai Dad. 'Oes 'na rywbeth wyt ti am wbod am y ffordd gest di dy fabwysiadu?' Edrychodd arna i. 'Cofia ofyn, wnei di? Mi ddwedwn ni wrthot ti gymaint ag ŷn ni'n gwbod ein hunain.'

'Mae'n iawn,' dywedais. Syllais drwy ochr y ffenest. 'Do'n i jest ddim yn gwbod mai Sami oedd fy enw i'n arfer bod.'

Tynnodd Dad i mewn i'r maes parcio gyferbyn â'r Ganolfan Hamdden.

'Wel, roedd e wastad 'na i ti gael gweld. D'yn ni ddim erioed wedi cadw pethe oddi wrthyt ti.'

'Wy'n gwbod, wy'n gwbod,' dywedais innau. Doeddwn i ddim yn gallu esbonio pa mor gymysglyd o'n i'n teimlo, na pha mor anodd oedd hi i siarad am y peth. Doeddwn i ddim eisie siarad amdano fe'r adeg hynny. Caeais fy siaced a phwyso'n ôl dros gefn y sedd i estyn fy mag chwaraeon. Aeth Dad mas o'r car a sefyll i aros amdana i.

'Roeddet ti'n ifanc iawn pan aethon nhw â ti i'r gymdeithas fabwysiadu. Doeddet ti braidd wedi cael amser i gael dy alw'n unrhyw beth. Roedd Sami fel label.'

Rhoddais glec i'r drws. Ond doeddwn i ddim wedi bwriadu gwneud.

'Roedden ni'n mo'yn rhoi enw i ti ein hunain, enw roedden ni wedi'i ddewis. Roedd y ddau ohonon ni'n hoffi'r enw Daniel yn fawr iawn. Roedd e'n gweddu i ti. Mae'n dal i wneud.'

Ro'n i'n meddwl am y siaced fach las gyda'r rhubanau sidan. Roedd hwnna'n gweddu i mi unwaith.

'Roedd Sami'n enw diarth i ni. Enw estron.' Mae Dad wir yn tueddu i rygnu 'mlaen weithiau, am ei fod e'n athro rwy'n credu. Mae'n rhaid iddo wneud yn siŵr eich bod yn deall yn union beth mae e'n ddweud. Mae'n gallu bod yn ddiflas tu hwnt. Weithiau mae e'n brifo, oherwydd ei fod e'n pallu gadael i bethau fod, hyd yn oed pan ych chi wedi cynhyrfu. Rhaid bod e'n gallu gweld pan ych chi'n ypset. 'Roedden ni wedi meddwl am Daniel yn barod, wrth i ni aros i'r gymdeithas fabwysiadu ddod o hyd i'r bachgen iawn i ni. Mae'r rhan fwyaf o rieni yn gwneud hynny. Mae dewis enw yn ffordd o wneud y plentyn yn real.'

Beth allwn i ddweud? Gosododd Dad ei fraich ar draws fy ysgwydd. Edrychais o gwmpas gan obeithio nad oedd neb arall o'r clwb deifio wedi cyrraedd.

'Bydda i'n hwyr, Dad,' meddwn. Chwarddodd yntau wrth i mi drio symud bant.

'Mae tad yn gallu cydio yn ei fab, nag yw e? Bant â ti, 'te, dim pwynt i'r ddau ohonon ni wlychu yn y glaw hyn. Wela i ti heno, Daniel.'

Rhedais ar draws y ffordd. Doeddwn i ddim yn teimlo'n gymysglyd rhagor. Ro'n i'n teimlo'n grêt. Roedd Dad fel ci defaid mawr, cyfeillgar weithiau. Doeddech chi ddim yn gallu dal dig gyda fe'n hir.

Rwy'n dwlu ar fod yr un cyntaf yn y pwll. Mae mor llyfn â gwydr. Does dim byd mor llonydd a thawel. Pan fyddwch chi'n edrych i lawr i mewn iddo mae mor glir nes eich bod yn cael yr argraff nad oes dŵr yno o gwbl. Mae fel chwalu swyn a'i dorri'n deilchion wrth ddeifio iddo pen yn gyntaf. Hoffwn petawn y cyntaf i'w chwalu bob tro. Ond y bore hwnnw roedd yr heddlu yno'n barod ar eu hyfforddiant ffitrwydd. Neidiais i mewn a thorri cwys i fyny ac i lawr y lôn ar hyd y pwll, ugain, deg ar hugain, deugain gwaith, pen i fyny bob hyn a hyn i edrych ar y cloc, achos roedd yn rhaid i mi ddal y bws ysgol am wyth. Yn sydyn daeth rhywbeth i'm meddwl fel petai'n bysgodyn aur yn nofio'i ffordd drwy'r pwll. Roedd yr amlen ym mhoced fy jîns o hyd. Beth petai Mam yn eu rhoi yn y peiriant golchi! Dwy erioed wedi teimlo mor agos i banig ag yr oeddwn wrth ddringo'n gyflym o'r pwll. Dyna pryd y sylweddolais fod nodyn Sami a'r garreg fach droellog yn golygu mwy i mi nag unrhyw un o 'nghwpanau deifio.

Shwsho'r ieir: 'Shw-shw!' fel rwy'n gwneud bob amser. Mynd i'r pentwr o wellt a phenlinio.

Ymbalfalu am y peth tenau marw. Symudodd yn fy llaw.

Bron i mi ei ollwng. Bron i mi sgrechen yn uchel. Mo'yn Mam.

Ro'n i'n gwybod beth i'w wneud â babi marw. Palu twll dwfn a'i gladdu. Doeddwn i ddim yn gwybod beth i'w wneud ag un byw.

Sychais fy hunan heb fynd o dan y gawod, wedyn rhedeg i'r ffôn yn y cyntedd. Doedd e ddim yn gweithio. Gallwn fod wedi'i rwygo o'r wal gan mor rhwystredig ro'n i'n teimlo. Byddai Mam yn rhoi'r dillad i olchi cyn iddi fynd i weithio yn y siop wyliau. Ei gweision mae hi'n galw'r peiriant golchi dillad a'r peiriant golchi llestri achos eu bod nhw'n gwneud y gwaith yn dawel tra ei bod hi allan yn gwneud pethau mwy diddorol. Byddai nodyn Sami wedi'i droi'n slwtsh.

Ro'n i'n teimlo 'mod i wedi colli'r unig gysylltiad â'r fi go iawn.

Wrth i mi sefyll 'na yn gwamalu ac yn crynu ro'n i'n methu peidio â meddwl am y ceffyl bach gwlân coch â chlustiau hir oedd 'da fi pan o'n i tua thair oed. Byddwn i'n mynd ag e i bobman, yn ei lusgo wrth ei gynffon, ac un dydd cafodd y ci afael ynddo a dechrau'i ddarnio. Llwyddodd Mam i'w achub cyn iddo fynd yn rhacs jibidêrs, ond roedd ei du mewn yn gollwng sbwng melyn ac un o'i glustiau wedi'i rhwygo a'r cyfan yn llysnafedd ar ôl bod yng ngheg y ci.

Rhuthrais i'r orsaf bysiau a llwyddo i ddal bws oedd ar fin gadael. Roedd 'y nghlustiau'n llawn o ddŵr y pwll ac roedd ffrwd oer yn treiglo ar hyd fy ngwar. Fe gymerodd hi am byth i fynd drwy'r dre oherwydd y gweithfeydd ffordd a'r dargyfeiriadau, ond o'r diwedd roedden ni ar y gylchfan wrth waelod ein hewl ni. Rhedais nerth fy nhraed i fyny'r bryn a chyrraedd wrth i Mam gau'r drws ffrynt.

'Daniel, beth sy wedi digwydd?'

Ro'n i braidd yn gallu siarad. Byddech chi'n meddwl 'mod i'n ffit gyda'r holl nofio a deifio rwy'n ei wneud. 'Fy jîns i!' llwyddais i grawcian. 'Ydych chi wedi'u golchi nhw?'

'Wrth gwrs 'mod i. Rwy newydd ddechre'r gweision.'

Gwthiais heibio iddi a mynd i'r gegin, a sefyll yn dorcalonnus yn gwylio'r dillad glas yn chwyrlïo'n araf. Ceisiais dynnu'r drws ar agor.

'Beth ar y ddaear wyt ti'n meddwl wyt ti'n wneud?' gwaeddodd Mam. 'Bydd dŵr dros lawr y gegin i gyd.'

'Ond fe adewes i rywbeth yn 'y mhoced . . .'

Cododd Mam ei bag a mynd 'nôl at ddrws y ffrynt. 'Cer i edrych ar dy wely, Daniel.'

Aeth hi mas yn gyflym i ddal ei bws a rhedais i lan stâr ddau ar y tro. Ac yno, ar y gwely, ymysg y cawdel o fandiau lastig, crib, darnau arian, Mars wedi hanner ei fwyta a'r belen ro'n i wedi bod yn gwneud o docynnau bws, roedd nodyn Sami a'r garreg fach.

Cofiais i wedyn, yn rhy hwyr, 'mod i wedi gadael fy mag chwaraeon gyda 'ngwaith ysgol i gyd ynddo fe yn y Ganolfan Hamdden.

Pennod 3

Cuddia, cuddia fe o'wrth Dad. Dyna'r unig beth oedd ar fy meddwl ar y pryd. Dod o hyd i sach a'i lapio fe fel oen bach claf. Rhedeg allan i'r buarth gyda fe tu fewn i 'nghot. Rhaid mynd â fe i rywle cyn i Dad godi.

Unig. Cymaint o dywyllwch o gwmpas.

Clywed Bob yn cwynfan. Gadael e mas. Dere 'da fi, Bob. Roedd ofn arna i ar fy mhen fy hun. Llyfodd fy llaw, llyfodd fy wyneb wrth i mi blygu ato.

Roedd fy mola'n brifo cymaint. Brifo a brifo wedi'r holl gico tu fewn iddo wrth i'r peth ddod mas.

Ble alla i fynd, Bob, lle fydd neb yn fy ngweld i?

Ble alla i fynd fel na fydd neb yn dweud wrth Dad?

Ges i 'nghadw ar ôl y noson honno am fod yn hwyr ar gyfer cofrestru. Doedd dim ots mewn gwirionedd. Gruff oedd yr athro â gofal a gadawodd i mi wneud gwaith cartref yn lle'r llinellau dibwynt mae rhai athrawon yn rhoi i chi i'w gwneud. *Rhaid i mi fod yn brydlon* dri chant o weithiau yn eich llawysgrifen orau. Am wastraff o goed. Pan orffennais fy ngwaith cartref sgwennais yn fy nyddiadur deifio.

Beth yw fy nod tymor-byr? Cyflawni trosben dwbwl a hanner o chwith. Hefyd mynd i'r dŵr heb dasgu. Beth yw fy nod tymor-hir? Cyrraedd y brig. Ymarferion wedi eu gwneud yr wythnos hon: bob nos ond nos Fercher: 30 o ymwlhiadau, codi ar fy eistedd 40 gwaith. Iechyd: 'bach o annwyd.

21

Ro'n i'n dal yn ôl cyn Mam a Dad. Penderfynais baratoi cyri fel trît iddyn nhw. Rwy bob amser yn gwneud cyri pan ga i gyfle. Mae e mor hawdd. Dim ond torri winwns a pheth garlleg, a'u gadael i ffrio am ychydig ac yna ychwanegu perlysiau'r tair C fel mae Mam yn eu galw nhw, sef cwmin, coriander a chardamom ond weithiau bydda i'n arllwys llwyth o bowdwr cyri mewn wedi'i gymysgu'n barod. Wedyn taflu i mewn unrhyw beth sydd dros ben yn yr oergell ac ychwanegu tun o domatos ac ychydig o sudd lemwn. Ond dwy ddim yn gallu gwneud reis. Mae naill ai'n troi'n feddal fel toes neu'n aros mor galed â graean ac yn torri'ch dannedd.

Wrth i mi dorri a throi a blasu, ro'n i'n meddwl am Mam a Dad. Mae'n debyg 'mod i'n trio ymddiheuro am y ffordd ro'n i wedi ymddwyn. Rwy'n gwybod 'mod i wedi'u brifo nhw, Dad yn enwedig. Meddyliais amdano'n mynd â fi lawr i'r Ganolfan Hamdden i nofio bob bore, ac ar gyfer hyfforddiant sylfaenol a deifio deirgwaith yr wythnos. Doedd dim rhaid iddo fe. Nid ei fai e oedd 'mod i'n dwlu ar ddeifio. Roedd e hyd yn oed yn talu i mi fynd i Gaerdydd weithiau ar gyfer hyfforddiant arbennig gyda Carwyn Evans. Doedd e byth yn cwyno. Roedd e'n dod i bob cyfarfod cystadleuol. Roedd e hyd yn oed wedi bod ar gwrs hyfforddi arbennig fel ei fod e'n gallu rhoi hyfforddiant ychwanegol i mi pan na fyddai Whisgi Mac o gwmpas. Os rhywbeth roedd e'n fwy brwdfrydig na fi. Ro'n i'n gwneud yr ymdrech achos 'mod i wrth fy modd yn deifio, achos 'mod i'n methu meddwl am unrhyw beth arall. Roedd pob gewyn yn 'y nghorff wedi'i anelu at y deifio a'm meddwl i'n llawn ohono. Ro'n i hyd yn oed yn breuddwydio am ddeifio.

Cafodd Dad y syniad yn ei ben 'mod i'n mynd i fod yn bencampwr y sir, wedyn yn bencampwr Iau Prydain. Roedd e am i mi ddeifio dros Gymru yn y cystadlaethau Rhyngwladol. Ei syniad e oedd hyn i gyd. Rocdd e'n falch ohono' i. Doedd Mam byth yn dod i'r cystadlaethau. Ond roedd hi'n sgwrio'r cwpanau. Roedd hi'r un mor falch, yn ei ffordd ei hun.

Fe glywais hi'n dadlau gyda Dad unwaith. Y diwrnod hwnnw pan ddywedodd Rhian, fy chwaer, ei bod hi'n gadael cartref ac yn mynd i rannu fflat gyda'i ffrind gorau. Eisteddodd Mam yn welw ac yn llonydd tra bu Rhian yn dweud wrthon ni, a phan oedd Rhian wedi mynd mas, fe drodd hi at Dad a gweiddi arno fe:

'Dishgwl beth wyt ti wedi 'neud, gyda'r holl ddeifio 'ma!'

Doedd dim syniad 'da fi am beth roedd hi'n sôn. Nid Dad oedd yn deifio ond fi. Ond pan aeth Rhian, a dim rhagor o ganu pop uchel yn taranu o'i stafell, dim rhaeadr o ddillad isaf yn diferu dros ochr y bath, na llanast colur a *mousse* gwallt yn y sinc, rwy'n credu 'mod i'n gwybod beth oedd hi'n ei olygu.

Beth bynnag a ddigwyddai, roeddwn yn benderfynol na fyddwn i'n siomi Dad.

Felly fe wnes i gyri fflamboeth ac aros iddyn nhw ddod adre. Tra 'mod i'n aros es lan i'm stafell a chael golwg iawn ar y garreg oedd yn amlen y nodyn am Sami. Roedd e'n beth rhyfedd, ychydig fel cragen malwen, yn troi i mewn ar ei hun. Ro'n i'n hoffi'r teimlad yn fy llaw, yn llyfn a chaboledig. Tybed oedd fy mam naturiol wedi prynu hwn yn arbennig i mi, neu wedi dod o hyd iddo yn rhywle. Roedd e'n ymddangos yn beth od i'w roi i faban newydd ei eni. Rhaid bod rhyw ystyr arbennig iddo, fel petai'n lwcus neu rywbeth.

Roedd y cyri'n gwynto'n fendigedig. Blinais ar aros i Mam a Dad a bwyta peth. Roedd e mor dda bwytais ragor, a thra 'mod i'n bwyta cyrhaeddon nhw adre, yn oer a blinedig ac yn falch o arogli'r bwyd. Edrychodd Mam yn y sosban.

'Gallet ti fod wedi gadael mwy ar ôl,' meddai. Arllwysodd hi'r gweddillion ar blât Dad. 'Trueni. Rwy'n dwlu ar dy gyri di.'

Ro'n i'n wirioneddol siomedig. Byddwn wedi ychwanegu tun arall o domatos neu rywbeth petai hi wedi rhoi'r cyfle i mi.

'Mae digon o reis ar ôl,' meddwn i.

'Cymer di e,' meddai Dad wrthi. 'Mae bron â bod yn bryd mynd â Daniel ar gyfer ei hyfforddiant. Ga i frechdan yn y car.'

'Af i ar y bws,' cynigiais i. Roeddwn i wir yn teimlo'n rhy lawn i ddeifio, ond do'n i ddim am fentro dweud wrtho fe. Fe fyddai mynd mas i gerdded ychydig yn gynta yn gwneud byd o les.

'Nag wyt ddim,' meddai Dad. 'Mae'n ddydd Iau. Rwy'n dy hyfforddi di a Meilyr heno, cofia.'

Ro'n i'n arfer hoffi pob nos Iau yn ofnadwy. Yr hyfforddwr arferol oedd Whisgi Mac, oedd 'run siâp â balŵn ac yn methu â phlygu i godi papur pum-punt, heb sôn am ddangos i ni sut i wneud tro trosben, er ei fod e'n hyfforddwr gwych. Ond ar ddydd Iau byddai Meilyr yn dod draw ar y trên a bydden ni'n dau yn cael noson gyda'n gilydd gyda Dad yn arolygu. Roedd yn hwyl. Rwy'n meddwl efallai taw Meilyr oedd yr unig wir ffrind oedd 'da fi, ac roedd hynny braidd yn od achos taw fe hefyd oedd yn cystadlu fwya yn fy erbyn i. Roedd e'n byw tua deg milltir ar hugain i ffwrdd felly doedden ni ddim ond yn gweld ein gilydd mewn cystadlaethau, ac weithiau yng nghlwb Carwyn Evans yng Nghaerdydd. Ro'n i wrth fy modd pan awgrymodd Dad roi ychydig o hyfforddiant ychwanegol i ni gyda'n gilydd. Roedd Meilyr wedi ei wneud fel lastig. Doeddwn i erioed wedi gweld unrhyw un mor ystwyth. Gallai wneud unrhyw beth heblaw am daro'r dŵr yn lân heb dasgu. Roeddwn i'n gallu gwneud unrhyw beth yn yr awyr, ond roeddwn yn dal i adael y bwrdd deifio yn ansicr braidd. Rhwng y ddau ohonom byddem wedi gwneud deifiwr go dda, yn ein tyb ni. Os oedd Meilyr yn dysgu deif newydd cyn fi, yr unig beth allwn i feddwl amdano oedd gwneud yn well ac roedd yntau'r un peth gyda fi. Trosben dwbl a hanner o chwith, dyna'r unig ddeif oedd y ddau ohonom yn awchu i'w meistroli ar y funud. Byddai'n cymryd wythnosau o waith paratoi cyn y bydden ni'n barod i'w gwneud o'r bwrdd.

Felly ar ddydd Iau byddai Dad yn codi Meilyr o'r orsaf ac yn mynd â ni'n dau lawr i ganolbwyntio ar ddim ond y naid o'r bwrdd a'r disgyn i'r dŵr. Doedd e byth yn ein hyfforddi ni yn un o'r deifs cymhleth, a doedd e byth yn gwneud sylw ar arddull na dim felly. Gwaith Whisgi Mac oedd hynny. Ond byddai Dad yn gwneud i ni ymarfer deifs sylfaenol filoedd o weithiau. Byddech chi'n meddwl y bydden ni'n blino ar hyn ond doedden ni ddim. Roedd e'n gyffur—meistroli, meistroli, meistroli. A phan oeddech chi'n ei feistroli byddech chi'n ei wneud eto ac eto, ac eto. Rwy wedi clywed plant yn yr ystafell gerdd yn canu'r un nodau drosodd a throsodd nes fy mod yn barod i'w lladd, ond o leia ro'n i'n deall pam oedden nhw'n gwneud hynny. Mae pob tro yn ddechreuad newydd, yn her newydd. Ymarfer rhwyd, rhedeg can metr, mae e i gyd yr un peth. Mae Whisgi Mac wastad yn dweud: 'Mae'r ddawn sy ynoch chi yn fodd i gyflawni'r stwff ffansi, ond ymarfer y pethau sylfaenol sy'n eich gwneud yn berffaith.' Ond dydych chi byth yn berffaith. Ddim gyda Dad fel hyfforddwr.

Roedd Meilyr a fi wedi blino'n lân ar ôl bron i dair awr o wneud yr un ddeif syth er mwyn ymarfer y naid oddi ar y bwrdd a'r disgyn yn lân i'r dŵr. Roedden ni wedi cyrraedd y cyflwr lle roedden ni bron â chasáu Dad, roedden wedi ymlâdd cymaint. Doedd e byth yn canmol a byth am roi'r gorau iddi. Maen nhw i gyd yr un peth, pob hyfforddwr rwy wedi'i gyfarfod. Efallai eu bod nhw'n bobl ffein tu fas i'r pwll ond maen nhw'n troi'n seicos tu fewn. Debyg fod rhaid iddyn nhw fod fel 'na. Fyddech chi byth yn gallu gorfodi'ch hunan i hyfforddi i'r eithaf fel 'na. Ond ddylai neb eich gwthio tu hwnt i'r eithaf, y ffordd wnaeth Dad y noson honno.

'Dyna ddigon o ymarfer o'r bwrdd,' gwaeddodd o'r diwedd a dyma ni'n paratoi i ddod mas o'r pwll. Ciciais drosodd ar fy nghefn oherwydd 'mod i'n rhy flinedig i nofio mas. Wrth i mi estyn am fy nhywel tynnodd Dad e o 'ngafael i. 'Rwy mo'yn un o'r bwrdd deg-metr cyn i ni fynd,' meddai.

'Dad!' cwynais.

'Gwna fe!'

Mae'n dipyn o daith dringo i ben y bwrdd uchel uchaf. Doeddwn i erioed wedi'i hoffi cymaint â'r sbringfwrdd. Rydych chi ddeg metr uwchben y dŵr, a phymtheg metr o waelod y pwll. Dyna ddwywaith uchder ein tŷ ni. Ond dydych chi ddim yn edrych lawr. Os ych chi'n colli'ch nerf, mae fel petai bod ar ymyl dibyn hanner ffordd lan rhyw fynydd. Mae popeth am y naid yn wahanol, oherwydd eich bod chi'n sefyll ar flocyn o goncrit. Mae e mwy fel gymnasteg, ond taw'r llawr yw'r sylfaen concrit dwfn, filltiroedd o dan y glesni.

Aeth Meilyr yn gyntaf, gan wneud trosben

perffaith wysg ei gefn, a chan wenu arna i fel gât wrth iddo fynd. Wnes i ddeif gyffredin. Roeddwn i wir wedi blino gormod i fy nangos fy hun. Roedd y mynediad i'r dŵr yn glasurol, a heb arlliw o dasgu. Gwaeddodd Meilyr yn fuddugoliaethus o'r ochr. Dylai Dad fod wedi bod yn fodlon.

'Un arall am lwc.'

Suddodd Meilyr i'w liniau a chymryd arno ei fod yn gweddïo, ond wnaeth Dad ddim hyd yn oed gwenu.

'Un arall, ac fe gawn ni byrger ar y ffordd adre. A sglods.'

Llusgon ni'n hunain lan y stâr, Meilyr yn gyntaf.

'Beth mae'r dyn eisie?' gofynnodd i mi.

'Trosben dwbwl a hanner o chwith ar gefn beic un olwyn,' awgrymais innau.

'Anghofies i ddod â'r beic,' meddai Meilyr, 'Wyt ti'n meddwl bydd e'n sylwi?'

Chwarddais, a'i gymeradwyo o ben draw'r bwrdd.

Safodd e fel petai e wir yn mynd i'w wneud e, yn cymryd arno ei fod yn mynd ar gefn beic o un pen o'r bwrdd i'r llall, mesur y bwrdd, cymryd arno ei fod wedi colli'i nerf a chwympo oddi ar y beic. Roedd y ddau ohonon ni mewn sterics. Rwy'n credu mai oherwydd ein bod ni wedi blino cymaint.

'Siapwch hi!' gwaeddodd Dad.

Tynnodd Meilyr wyneb, troi, rhedeg i'r pen blaen, aros am eiliad yn unig, troi eto i neidio, ac wrth iddo droi drosodd, craciodd top ei ben yn erbyn y bwrdd. Anghofia i fyth mo sŵn y glec 'na, byth.

Pennod 4

Gyda'r glec ofnadwy yna'n adleisio trwy 'mhen llithrais rywsut i lawr y grisiau a rhuthro draw at lle roedd Dad a Dyfrig, y cynorthwy-ydd, yn llusgo Meilyr o'r dŵr. Roedd e'n edrych yn farw i mi. Ceisiodd Dyfrig ei ddadebru trwy anadlu i'w geg ac o'r diwedd llyncodd Meilyr ychydig a dechrau pesychu dŵr, ond wnaeth e ddim symud nac agor ei lygaid. Dyma ni'n ei orchuddio â thywelion sych a blancedi. Doedd dim lliw yn ei wyneb o gwbl. A chi'n gwybod beth ddywedodd Dad wrthyf i wrth i ni blygu dros Meilyr wrth i ni aros am yr ambiwlans?

'Dwyt ti ddim wedi gwneud dy ddeif di eto,' meddai.

'Dad . . . ?'

'Cer. Gwna fe.'

'Alla i ddim. Dim nawr.'

'*Gwna* fe, Daniel.'

Estynnodd ei law tuag ata i a gwingais o'i ffordd. Doeddwn i ddim yn gallu credu'r hyn roedd e'n gofyn i mi ei wneud.

'Os na wnei di fe nawr, fyddi di byth am fynd i ben y bwrdd uchel 'na eto.'

Ro'n i wir yn ei gasáu e. Llusgais fy hun i fyny'r grisiau 'na fel petawn i'n mynd i'r grocbren. Ro'n i'n gallu teimlo'r bywyd yn llifo ohonof. Ro'n i braidd yn gallu codi 'nghoesau, roedden nhw fel blociau o goncrit. Pan gyrhaeddais ben y bwrdd ro'n i'n meddwl 'mod i'n mynd i gyfogi. Cerddais i'r pen blaen a dechreuodd yr awyr o 'nghwmpas i symud yn ddryswch o oleuadau gwyn, fflachiadau a diferion dŵr glas. Gwyddwn y funud honno beth oedd ystyr ofn. Mae'n gafael yn eich perfeddion ac yn troi'ch coesau'n ddŵr. Mae'n eich rhwygo'n ddarnau mân.

Feiddiwn i ddim edrych lawr. Sefais ar ymyl y bwrdd a symudodd fy mreichiau yn reddfol i'w safle. Ro'n i'n dweud wrthyf fy hun, 'Os oes 'na Dduw, helpwch fi, helpwch fi, helpwch fi.' Ac yna clywais fy hun yn gweiddi, neu clywais lais tebyg i f'un i, ond un garw a thoredig:

'Sdim hawl 'da chi i wneud hyn i fi. Nid chi yw 'nhad i.'

Pan ddes i lan o'r dŵr doedd e ddim hyd yn oed yn gwylio.

Cyrhaeddodd yr ambiwlans cyn i mi wisgo. Aeth Dyfrig gyda Meilyr i'r ysbyty a dilynodd Dad yn ei gar. Doedd e ddim yn fodlon i mi fynd gydag e. Rhoddodd arian i mi i gael tacsi adre ond ddefnyddiais i mohono fe. Yn lle hynny cerddais y tair milltir a hanner. Ro'n i wedi blino'n lân ac yn oer, ac roedd y cyri fwytais i 'nghynt fel petai'n perthyn i ddiwrnod arall. Roedd rhaid i mi wneud synnwyr o rywbeth oedd yn corddi yn fy meddwl, fel mae gwyfyn yn hedfan o gylch eich stafell yn y nos ac yn pallu gadael i chi gysgu. Ro'n i'n dychmygu dweud hyn i gyd wrth fy mam, fy mam naturiol, yr un oedd wedi rhoi genedigaeth i mi ac oedd wedi gorfod fy rhoi bant. Ro'n i am wybod beth fyddai hi'n meddwl petai hi'n gwybod am hyn i gyd. Roedd 'da fi boen tu fewn—poen nad oeddwn wedi ei theimlo erioed o'r blaen. Ro'n i am wybod sut un oedd fy mam naturiol.

Erbyn i mi gyrraedd adre roedd Dad 'nôl o'r ysbyty. Roedd e a Mam wedi'u cynhyrfu ac yn sefyll yn bryderus yn y gegin fel petaen nhw ddim yn gwybod beth i'w wneud â'u hunain. Es yn syth i'm stafell a dilynodd Dad. Fe oedd y person olaf ro'n i am siarad ag e. Eisteddodd ar erchwyn y gwely a sefais gyda 'nghefn tuag ato, yn ewyllysio iddo fynd o 'na.

'Mae rhieni Meilyr gydag e nawr.'

'O,' dywedais, 'dyw e ddim wedi marw 'te.' Roedd e'n swnio'n galed, y ffordd daeth e mas, ond do'n i ddim yn gallu meddwl am ffordd arall i'w ddweud e. Dyna'r unig beth ro'n i eisiau wybod.

'Na. Roedd e'n dal yn anymwybodol.'

'Galle fe farw, 'te?'

'Dwy ddim yn gwbod, Daniel. Dwy jest ddim yn gwbod. Bydd y meddygon yn siarad â'i rieni. Rwy'n siŵr bydd e'n iawn.'

'Ddylech chi ddim fod wedi'i orfodi i wneud e.' Roedd fy llwnc mor dynn prin y gallwn gael y geiriau mas. Roedd rhaid i rywun gael y bai. Gallai bachgen fel Meilyr ddim marw, ddim marw jest fel 'na.

''Falle ddylwn i ddim. 'Falle na ddyle ynte fod wedi chwarae o gwmpas fel 'na.'

'Ac wedyn wnaethoch chi 'y nanfon i i ddeifio, ar ôl hwnna i gyd. Oeddech chi mo'yn 'yn lladd i hefyd?'

Ro'n i'n ymwybodol fod Mam yn sefyll yn y drws gyda hambwrdd o ddiodydd poeth. Gallwn weld ei hwyneb syn, trist, a Dad yn troi oddi wrthyf; Dad yr un mawr, swnllyd, llawn chwerthin, ond yn awr heb air i'w ddweud i'w amddiffyn ei hun. Ro'n i am ei frifo fe gymaint ag yr oedd e wedi 'mrifo i.

Gosododd Mam yr hambwrdd lawr a cheisio rhoi ei breichiau o 'nghwmpas i. Trois i bant. Ro'n i am ei brifo hi hefyd.

'Rwyt ti wedi cael sioc, Daniel,' meddai hi. 'Rŷn ni gyd wedi cael sioc. Roedd e'n beth ofnadw. 'Na gyd allwn ni wneud nawr yw aros am newyddion oddi wrth rieni Meilyr.'

'Fe ffonia i'r ysbyty eto.' Roedd llais Dad yn floesg. Wrth iddo fynd mas rhoddodd Mam un o'r diodydd poeth i mi.

'Roedd dy dad wedi dy orfodi i wneud y ddeif ola 'na er dy fwyn di ac nid er ei fwyn e. O't ti'n meddwl bod hynny'n beth hawdd iddo fe? Sut yn y byd o't ti'n meddwl oedd e'n teimlo wrth beryglu ei fab ei hun ar ôl beth oedd wedi digwydd i Meilyr?'

Ro'n i'n teimlo fel petawn i filiwn o filltiroedd i ffwrdd oddi wrthi. Edrychodd hi i fyw fy llygaid gan chwilio am ateb. Ro'n i'n methu â rhoi'r un roedd hi'n mo'yn.

'Ond dwy ddim, ydw i,' meddwn. 'Dwy ddim yn fab iddo fe.'

Pennod 5

Ro'n i'n methu cysgu'r noson honno. Bob tro y caewn fy llygaid byddwn yn gweld Meilyr yn plymio o'r awyr fel aderyn briw. Doeddwn i ddim wedi ei weld e'n cwympo, wrth gwrs, ro'n i uwchben, ond clywais y glec wrth i'w ben daro, a'r waedd roddodd Dad a Dyfrig.

Yn ystod y nos fe godais a dechrau chwilio am nodyn Sami. Doeddwn i ddim yn cofio lle ro'n i wedi'i adael e. Pan ddes i o hyd iddo fe, tu fewn i un o 'nghwpanau deifio, eisteddais gan ei ddal ac edrych arno, ac yn raddol clywais lais clir yn fy mhen. Roedd e fel petawn i wedi dod o hyd i rywun i siarad ag ef. Rwy'n credu y byddai fy mam yn gwybod beth i'w ddweud wrthyf am Meilyr.

Trois y nodyn drosodd ac edrych ar y geiriau rhyfedd wedi'u sgriblo ar yr ochr arall. Sylweddolais am y tro cynta fy mod i'n darllen darn o gyfeiriad wedi'i rwygo. Dim ond y gornel dde oedd i'w gweld. Gallai'r llythyren olaf fod yn 'm' neu efallai'n 'on'—roedd bron yn amhosibl dweud:

34

Ro'n i'n gwybod gyda rhyw fath o hiraeth dwfn mai dyna lle roedd fy mam yn byw. Os oeddwn i'n mo'yn, gallwn i ddod o hyd iddi.

Rhaid mynd ag e ymhell o gartre.

Byddai rhywun yn fy ngweld i petawn i'n mynd i'r pentre, neu ar hyd y lôn i'r brif hewl. Byddai rhywun yn fy ngweld i ac yn dweud wrth Dad. Byddai e'n fy lladd i petai'n gwybod.

Trois fy nghefn ar y tŷ, lle roedd y rhai bach yn cysgu'n gynnes yn eu gwelyau a lle roedd Dad yn chwyrnu.

Ro'n i'n gwybod fod rhaid i mi fynd â'r peth bach tenau dros gopa'r mynydd.

Siâp mawr, creigiog yn y tywyllwch.

Ddim wedi bod lan yn fan'na, dros y copa a lawr i'r ochr arall.

Maen nhw'n dweud fod awyrennau wedi dod i lawr yno yn ystod y rhyfel, a neb wedi dod o hyd i'r peilotiaid, a bod eu hysbrydion yn dal i grwydro yno.

Maen nhw'n dweud fod bwganod yn dringo o'r mawn i'ch denu i'r gors.

Roedd y gwynt yn chwythu eirlaw. Dechreuodd y peth bach grio fel cath.

Tynnais fy nghot yn dynn amdana i. Heibio i gytiau wyna Wncwl Eryl, a Bob yn rhedeg o gwmpas fy 'mhenliniau. Neb o gwmpas. Rhy gynnar eto. Rhy gynnar i'r adar ddechrau cadw sŵn.

Ro'n i'n brifo gormod i ddringo dros y gamfa. Rhaid rhoi'r bwndel yn y llaid tra 'mod i'n agor y gât.

Rhoddodd Bob ei drwyn ynddo ac fe dynnes e'n ôl yn gas.

Codais y bwndel a'i wthio tu fewn i 'nghot. Teimlo
fe'n symud.

Meddwl tybed oedd e'n mynd i farw cyn i mi
gyrraedd ochr draw'r mynydd.

Mo'yn cael lle diogel iddo fe.

Ddim eisie iddo fe farw.

Daeth Dad i'm stafell fore trannoeth ar yr amser
arferol. Ro'n i ar ddihun beth bynnag. Fel arfer, ta
pa mor dwym oedd y gwely, byddwn i allan fel
bollt pan oedd e'n fy neffro i gan fod yr adrenalin
yn pwmpio trwy 'ngwythiennau i ac yn gweiddi
arna i i ddechrau ar y deifio. Ond doeddwn i ddim
am fynd 'nôl i'r pwll y diwrnod hwnnw, nag
unrhyw ddiwrnod. Ddim gyda fe.

Agorodd Dad y drws ond ddaeth e ddim i'r
stafell.

'Mae Meilyr wedi cael ei symud i'w ysbyty
lleol,' meddai fe. 'Rwy'n meddwl fod hwnna'n
arwydd da, Daniel. Ac mae Mam yn mynd i dy
ddanfon i'r pwll. Mae'n mo'yn mynd i'r gwaith yn
gynnar.'

Ddywedais i ddim. O leia fyddai dim rhaid i mi
fynd i'r pwll gyda fe. Doedd Mam braidd byth yn
mynd â fi i'r pwll a fyddai hi ddim am fynd
mewn, roedd hynny'n siŵr. Roedd hi'n casáu
gwynt y clorîn. Roedd e'n gwneud iddi deimlo'n
sâl, meddai hi. Ac roedd gormod o eco yno iddi hi.
A finnau'n dwlu ar bopeth ynglŷn â'r pwll, fel arfer.

'Dwy ddim yn meddwl yr af i heddiw,' meddwn.

Safodd Dad wrth y drws, gan edrych draw oddi

wrthyf ar draws y landin. Tybed oedd Mam yn ei wylio fe.

'Rwy wedi bod yn ystyried, Daniel,' meddai o'r diwedd. 'Dwy ddim yn meddwl y dylwn i drio i dy hyfforddi di ragor.'

Gorweddais yn hollol lonydd, gan syllu ar y nenfwd. Roedd gwe corryn yn hongian ohono, ac yn troelli ychydig yn yr awel o'r drws.

'Dyw e ddim yn beth doeth iawn. Bydden ni ond yn cwmpo mas, a dwy ddim yn mo'yn hynny. A dwy ddim yn meddwl 'mod i'n gwbod digon.'

Os oedd e'n dymuno cael cysur oddi wrthyf i doedd e ddim yn mynd i gael dim. Safodd am ychydig gyda'i law ar ddolen y drws. Chlywais i mohono fe'n mynd.

Llithrais mas o'r gwely a gwisgo 'nillad ysgol, cael gafael mewn tywel a lapio 'ngwisg nofio. Pan es i lawr stâr roedd Dad wedi mynd i'w ysgol ar y bws ac roedd Mam yn aros amdana i gydag allweddi'r car yn ei llaw. Pam eu bod nhw'n ei gwneud hi mor hawdd i mi? Roeddwn i am ddeifio er fy mwyn fy hun, am hwyl. Roedden nhw'n ceisio troi'r peth yn ddyletswydd. Doedden nhw ddim yn deall. Doedd e ddim byd i'w wneud â nhw.

Cyn gynted ag yr o'n i yn y car dechreuodd Mam y sgwrs lle roedd Dad wedi'i gadael hi. Rhaid eu bod nhw wedi bod yn ymarfer drwy'r nos.

'Rŷn ni'n meddwl 'falle y gallen ni drefnu i ti gael wythnos o hyfforddiant arbennig yng Nghaerdydd dros hanner tymor,' meddai hi. 'Byddai Carwyn Evans yn falch o dy weld rwy'n siŵr, wedyn gallet ti fynd ato bob penwythnos os yw hynny'n gweithio.'

Roedd Carwyn yn hyfforddwr gwych. Fel arfer byddwn i wrth fy modd gyda'r awgrym.

'Pam?' gofynnais i.

'Dyma dy gyfle olaf di i ennill y Bencampwriaeth Iau. Byddet ti'n cael wythnos o hyfforddiant dwys. Gwna fe er mwyn dy Dad,' meddai, gan edrych arna i'n sydyn wrth ddod at y goleuadau traffig. 'Fe fydde fe wrth ei fodd petait ti'n ennill honna. Mae'n golygu cymaint iddo fe. Ac i fi. Efallai byddi di'n ennill yr Olympics ryw ddydd!' Stopiodd y car wrth iddi ddweud hynny, ac edrychais i ffwrdd. Doedd hi erioed wedi bod ar fwrdd deifio yn ei byw. Doedd hi ddim hyd yn oed yn gallu nofio. Doedd dim cliw 'da hi am beth roedd hi'n sôn.

'Rwy'n casáu chi'n dweud hynna,' meddwn. Efallai i'r geiriau ddod mas braidd yn uchel.

'Rŷn ni gyd o dan ychydig o straen, on'd ŷn ni?' Nodiais fy mhen a cheisio clirio'm llwnc.

'A gwnaiff wythnos ar wahân ddim drwg i ni.'

'Na. Na wnaiff, mae'n debyg.'

Mae Mam wrth ei bodd yn trefnu pobl. Oherwydd ei swydd mae'n debyg. Mae'r bobl sy'n mynd ati hi am iddi drefnu eu gwyliau a'u hamserlenni teithio iddyn nhw. Dwy ddim yn credu ei bod hi'n sylwi pa mor annifyr yw hi pan fydd hi'n gwneud hynny i bawb arall hefyd.

'Rwy'n mynd â dy Dad i'r Alban am ychydig o ddyddiau. Mae Wncwl Daniel wedi'n gwahodd ni i dreulio hanner tymor gyda fe, ac wrth gwrs doedd dy dad ddim yn fodlon ar y dechrau oherwydd dy hyfforddiant di. Ond . . .' Gwasgodd ei gwefusau at ei gilydd ac ochneidio. 'Mae'n ddrwg 'da fi, ond byddwn i'n hoffi gwylie filltiroedd i ffwrdd oddi wrth bwll nofio.'

'Wrth gwrs.'

'Meddylia am y peth, Daniel.'

Dechreuais feddwl wedyn tybed a oedd Mam yn gwrthwynebu'r amser roedd Dad yn treulio gyda fi gymaint ag yr oedd Rhian. Roedd e gyda fi peth cynta bob bore, bron bob nos yn y pwll neu'r gampfa, ac weithiau byddai'n gyrru i Gaerdydd gyda fi ac yn aros. Doeddwn i erioed wedi meddwl am y peth o'r blaen.

Wrth i ni gyrraedd gyferbyn â'r Ganolfan Hamdden sylwais ar atlas yr AA ar silff y car. Cydiais ynddo fe a dechrau pori drwyddo. 'Sdim eisie hwn arnoch chi heddiw, oes e?'

Roedd hi wedi'i synnu. Rwy'n credu ei bod hi'n disgwyl ymateb i bopeth roedd hi wedi bod yn ei ddweud, ond hyd y gallwn weld yr unig ddewis oedd cytuno â hi.

'Rwy'n credu galla i gyrraedd y gwaith hebddo fe. Pam?'

'Rwy ei angen e ar gyfer y prosiect dyniaethau.' Gwthiais i fe i 'mag wrth i mi fynd allan o'r car. Newidiodd y goleuadau a gyrrodd Mam i ffwrdd yn gyflym, gan godi ei llaw. Gyda theimlad sydyn o gywilydd cofiais nad oedd yr un ohonon ni wedi sôn am Meilyr. Roedd fel petai holl arswyd neithiwr yn rhan o freuddwyd. Cerddais ar draws y ffordd i'r Ganolfan Hamdden fel petawn i'n nofio'n ôl i ganol hunllef. Doedd dim un o'r cynorthwywyr yn gwybod dim amdano fe, doedden nhw ddim yn nabod Meilyr gan ei fod e ond yn dod ar nos Iau, a doedden nhw ddim hyd yn oed yn nabod Dyfrig.

Roedd haul cynnar y bore'n pefrio trwy ffenestri uchel y pwll, gan ei liwio'n aur. Hyrddiais fy hunan o'r ochr a gadael i fy nhraed fy ngwthio 'mlaen, gan deimlo'r awyr sidanaidd gwlyb o 'nghwmpas yn fy nal i lan, yn troi a throsi, drosodd a throsodd ynddo. Ro'n i'n bysgodyn, ac ro'n i yn fy elfen. Gafaelais yn fy mhenliniau yn fy nghwrcwd a throi'n araf yn y dŵr. Meddyliais am fy ngharreg droellog. Sythais, ac anelu lan, yn bysgodyn eto.

Clywais waedd a chodais fy mhen o'r dŵr, wedi drysu. Ro'n i wedi anghofio lle ro'n i. Anelodd nofiwr cryf gydag ysgwyddau fel cwpwrdd dillad a gogls du am ei lygaid ataf. Trodd ei ben gan chwistrellu llif o ddŵr o ochr ei geg. 'Safa yn dy lôn, was,' chwyrnodd, 'os nag wyt ti'n mo'yn 'y mhenelin yn dy drwyn, iawn?'

Iawn.

Aros i orffwys ar ôl cyrraedd y bont. Eisie cysgu a chysgu am byth. Eisie anghofio'r boen.

Tu fewn i 'nghot dechreuodd e lefen eto.

Eisie ysgwyd y llefen mas ohono fe. Codais ef uwch y

dŵr. 'Gallen i ollwng ti mewn,' meddwn. 'Gollwng ti mewn wedyn byddet ti ddim yn llefen rhagor.'

Meddwl am haf diwethaf, pan o'n i yma gyda'r bachgen gwyllt. Meddwl sut oedden ni'n nofio ac yn chwerthin yn y dŵr o dan y bont yna.

Cofio dangos iddo fe sut o'n i'n gallu troi yn yr awyr cyn i mi gyffwrdd â'r dŵr.

Aderyn y dŵr. Dyna beth wnaeth y bachgen gwyllt fy ngalw i.

Pennod 6

Yn ystod Dyniaethau y prynhawn hwnnw galwyd fi i weld y brifathrawes. Roedden ni wedi cael ein gosod mewn grwpiau o bedwar i weithio ar gywaith a fi oedd yr un dros ben. Doedd dim ots 'da fi. Gallwn fod wedi ymuno ag unrhyw un o'r grwpiau pe bawn i wedi gwneud ffŷs ond roedd yn well gen i weithio ar fy mhen fy hun. Dwy ddim yn gallu canolbwyntio gyda phobl yn clebran o 'nghwmpas i. Petawn i'n medru gorffen y gwaith yn yr ysgol byddai mwy o amser yn rhydd gyda'r nos. Dim ond dau o'r grwpiau y byddwn i'n mo'yn bod ynddyn nhw beth bynnag. Un oedd grŵp Ianto. Fe oedd fy ffrind i drwy gydol yr ysgol gynradd, hyd nes i mi ddechrau derbyn hyfforddiant dwys, a daeth e o hyd i bethau gwell i'w gwneud nag aros amdana i. Doeddwn i ddim wir yn gwybod sut i siarad ag e rhagor. Roedd gydag e ffordd o edrych arna i weithiau a gwenu oedd yn gwneud i mi feddwl ei fod e'n chwerthin am fy mhen i. Beth bynnag, fe fyddai wedi bod yn sbort bod yn ei grŵp e.

Mae'n mynd o gwmpas gyda Pryderi Siôn nawr. Mae wyneb hwnnw'n grwn a gwelw, fel pastai heb ei bobi, a'i lygaid fel y tyllau mae Mam yn eu torri er mwyn i'r grefi lifo mas. Y peth gwaethaf oedd iddo drio tyfu barf unwaith, ond doedd dim gobaith 'da fe. Hyd yn oed cyn i'r brifathrawes ei orfodi i'w dorri, yr unig beth a dyfodd oedd rhyw flew ar ei ên fel petai rhywun wedi gollwng y pastai ar y llawr a bod darnau fflwff o'r carped wedi glynu wrtho fe. Peth gwael arall amdano fe oedd ei fod cyn daled ag unrhyw un arall yn yr ysgol, ac yn ymddwyn fel petai e'n berchen ar y byd. Y peth gwaetha oll oedd bod Ianto fel petai'n ei hoffi e.

Y grŵp arall, wrth gwrs, oedd un Siwan, ond roedden nhw'n ferched i gyd gyda'i gilydd wrth y bwrdd, yn chwerthin am ben rhywbeth. Tybed oedd Siwan yn gwybod 'mod i'n ei gwylio hi; tybed oedd hi'n hoffi'r bachgen â'r dannedd. Pan edrychodd hi lan trois at y ffenest, yn ymwybodol 'mod i'n cochi.

Felly ro'n i'n eitha balch pan ddaeth rhywun â neges i mi fynd i swyddfa'r brifathrawes. Ond ro'n i'n teimlo'n lletchwith iawn yn cerdded o'r ystafell.

'Wedi ennill cystadleuaeth arall, Daniel?' gofynnodd Mr Gruffydd.

'Ddim i mi wbod, syr,' meddwn, a chwarddodd rhywun o fwrdd Siwan. Petai rhywun arall wedi cael ei alw i weld y brifathrawes bydden ni i gyd yn cymryd yn ganiataol fod 'na helynt, felly dylwn i fod wedi bod yn ddiolchgar, ond doeddwn i ddim. Ro'n i'n llawn embaras. Ceisiodd Ianto wneud i mi faglu wrth i mi fynd heibio i'w ddesg, ond pan drois i edrych arno roedd e'n wên o glust i glust fel arfer. Dwy jest ddim yn gwybod a yw e'n fy hoffi i ai peidio.

Mae gan y brifathrawes stafell anferth yn edrych

dros y caeau chwarae. Roedd ei drws hi ar agor, ac ro'n i'n gallu ei gweld hi'n edrych mas drwy'r ffenest yn gwylio ci.

'Roeddech chi am 'y ngweld i,' meddwn wrth ei chefn hi. 'Daniel Huws.'

'A,' meddai hi. 'Y deifiwr. Un funud, Daniel. Rhaid i mi gael gair gyda'r gofalwr.'

Aeth heibio i mi i lawr y coridor, y carrai gwyrdd ar ei sgidiau'n mynd tip-tap ar y llawr. Tybed oedd hi unrhyw beth fel fy mam. Doedd hyn erioed wedi 'nharo i o'r blaen. Rwy'n arfer meddwl am fy mam fel rhywun ifanc a phert, fel mam Ianto, sy'n dod i nosweithiau rhieni gyda gwallt hir lliw arian a chlustdlysau llachar.

Cyn bo hir gwelais y brifathrawes a'r gofalwr mas ar y cae ac es i wylio'r hwyl drwy'r ffenest. Roedd y gofalwr yn rhedeg ar ôl y ci du a gwyn, a hwnnw wrth ei fodd yn mwynhau'r gêm, a'r brifathrawes yn plygu gyda brwsh a rhaw fach i godi'r dom roedd e wedi'i adael. Dyna un peth am y brifathrawes. Ei hoff neges yn y gwasanaeth boreol yw 'Peidiwch â gofyn i neb wneud unrhyw beth na fyddech chi'n gwneud eich hunan.' Roedd hi'n dda gwybod ei bod hi'n ei olygu fe mewn gwirionedd. Serch hynny, plygais o'r golwg pan ddaeth hi heibio'r ffenest yn dal y rhaw ymhell o'i blaen hi. Doedd e ddim y peth mwya urddasol i brifathrawes ei wneud.

Ond y gwir oedd ei bod hi wedi gwastraffu deng munud o'r wers. Ro'n i'n meddwl tybed a ddylwn i ddweud 'Mae'n iawn, does dim ots,' pan fyddai hi'n ymddiheuro, neu a fyddai hynny'n rhoi'r argraff iddi nad oeddwn i'n hoffi Dyniaethau? Wnaeth hi ddim ymddiheuro o gwbl yn y diwedd. Daeth i mewn gan rwbio'i dwylo, a'i bochau'n goch fel tomatos. Rwy'n siŵr ei bod hi wedi ei mwynhau ei hun.

'A, Daniel! Galwodd dy dad,' meddai, gan ddifrifoli'n sydyn. 'Ynglŷn â dy ffrind Meilyr.'

'Dyw e ddim yn ffrind i mi go iawn. Doeddwn i ddim yn ei nabod e'n dda iawn.' Mae'n debyg 'mod i am wneud pethau'n haws iddi. Doeddwn i ddim am glywed beth oedd ganddi i'w ddweud. Ro'n i am i'w hwyneb byw, coch droi i ffwrdd fel nad oedd rhaid i mi ddangos iddi sut o'n i'n teimlo. Syllais tu hwnt iddi draw at y caeau chwarae lle roedd y ci du a gwyn yn ei hyrddio'i hun at y gofalwr.

'Mae'n iawn, Daniel. Mae e wedi dod ato'i hun. Mae'n dost iawn o hyd ond dyw e ddim mewn perygl mwyach. Ro'n i'n meddwl fod dy dad yn garedig iawn yn ffonio. Rhaid dy fod di'n gofidio'n ofnadwy.'

Ceisiais lyncu, ond methais.

'Bydd e'n iawn, gei di weld. Damwain ddeifio oedd hi, mae'n debyg?'

'Nid bai Meilyr oedd e. Bai 'y nhad oedd e.' Cedwais fy llygaid ar y ci, fy nwylo'n dynn yn fy mhocedi.

'Wel meddylia pa mor ofnadwy mae dy dad yn teimlo nawr, 'te.'

Mae gan y brifathrawes lais addfwyn. Hyd yn

oed pan fydd hi'n siarad â ni i gyd yn y gwasanaeth dyw hi byth yn gweiddi. Dyw ei llais hi ddim yn fain, fel lleisiau rhai menywod. A phan ddywedodd hi hynny am Dad roedd hi'n siarad yn isel iawn, a'r geiriau'n treiddio i mewn i fy mhen. Meddyliais tybed a oedd gan fy mam lais addfwyn caredig fel 'na.

'Gyrres i dros gath unwaith,' meddai hi. 'Nid fy mai i oedd e. Rhedodd hi mas o flaen y car. Doeddwn i ddim yn gallu gwneud unrhyw beth i'w hosgoi hi. Rwy'n gallu clywed yr ergyd nawr, wrth i'r corff bach daro yn erbyn yr olwyn. Bydda i'n teimlo'n euog am byth.'

Trodd oddi wrthyf, tuag at y ffenest, ac ochneidio. 'Rhed o gwmpas y cae ar dy ffordd 'nôl i'r dosbarth, wnei di, a hel y ci 'na o'r maes i fi? Fe wnaiff les i ti ac arbed coesau Mr Jones. Rwy'n credu fod y ci 'na'n chware gyda fe.'

Dyna ddiwedd ar fy ngwers Dyniaethau. Onid oedd hi'n poeni am fy nyfodol i o gwbwl?

'Beth sydd ar y gweill nesa gyda ti?'gofynnodd wedyn, fel petai'n darllen fy meddwl. 'Pencamp-wriaethau Ewrop?'

'Mae rheiny yn ystod gwylie'r haf,' meddwn i. 'Ar ôl y rhai cenedlaethol. Mae 'na gystadleuaeth wythnos nesa, ond dim ond un lleol yw hi.'

'Da iawn,' meddai hi. Canodd y ffôn ac fe'i cododd yn syth gan roi ei llaw drosto. 'Gêmau Olympaidd nesa, Daniel.'

Roedd hi'n deimlad braf loncian o amgylch y cae gyda'r ci gwallgo'n neidio o 'nghwmpas i.

Roedd Meilyr yn gwella. Gyda fe'n cystadlu neu beidio, fi oedd y ffefryn ar gyfer y Pencampwriaethau Prydeinig. Roedd hynny'n golygu fy mod i ar y llwybr iawn ar gyfer Ewrop. Ac wrth sôn am y Gêmau Olympaidd—wel, roedd rhaid cael rhywun yn y tîm Prydeinig. Pam nad fi?

Roedd y dringo'n drech na fi. Roedd yn rhy galed ac yn rhy uchel. Tywyll ac oer ar ochr y mynydd. Glaw fel cerrig mân yn f'wyneb.

Roedd poenau yn fy mola ac roedd fy nghoesau'n gwegian.

Ond roedd y peth yn crio tu fewn i 'nghot.

Methu'i adael e 'na. Gorfod gwthio'n hunan i fynd lan.

Gorfod dweud, 'Lisa, Lisa, gwna fe, lodes.' Dyna beth fyddai Mam wedi dweud.

Yn ôl yn y dosbarth, tynnais atlas AA Mam mas a dechrau pori drwyddo. Doedd dim pwynt hyd yn oed ceisio ymddangos fel petawn i'n dilyn y wers. Ro'n i wedi gadael nodyn Sami gartref yn y cwpan ond ro'n i wedi copïo'r llythrennau yn fy llyfr nodiadau. Agorais i fe ar y tudalen cywir a gosod y garreg droellog yn ei ymyl, fel rhyw fath o swyn.

Daeth Mr Gruffydd a sefyll tu ôl i mi, ac edrych dros fy ysgwydd. Ro'n i'n gwybod na fyddai ots 'da fe. Byddai unrhyw beth yn dderbyniol gan Gruff ond iddo gael bywyd tawel. Dim ond bod neb yn torri ar draws y wers dyw e ddim yn hidio beth ych chi'n ei wneud mewn gwirionedd. Mae'n dod i'r ysgol ar ei feic ac yn ei wthio ar hyd y coridor i'r stafell athrawon yn lle bod rhywun yn ei ddwyn o'r sièd. Does dim byd yn ddiogel yn ein hysgol ni. Rŷn ni'n cario popeth o gwmpas gyda ni—dillad chwaraeon, cotiau, ac offerynnau os ych chi'n gwneud cerdd. Mae pawb yn llusgo o gwmpas yr ysgol fel torf o ffoaduriaid yn cludo'u holl eiddo gyda nhw. Rhowch unrhyw beth lawr ac mae e wedi mynd am byth. Felly pan estynnodd Gruff ei law i godi'r garreg saethodd fy llaw tuag ati'n reddfol i'w chuddio.

'Ga i weld dy amonit di?' gofynnodd.

Cododd hi a'i harchwilio'n araf. 'Mae'n un hyfryd. Perffaith.'

'Beth yw amonit, Syr? Carreg yw hi?'

Ffrwydrodd y criw ar fwrdd Siwan a dechrau chwerthin. Rwy'n cyfadde, nid fi yw'r person clyfra yn y dosbarth.

'Ffosil yw hi.' Eisteddodd ar fy nesg, gan osod ei sbectol ar ei drwyn â'i law rydd. 'Mae'n perthyn i'r cyfnod Triasig, hyd at y cyfnod Mesosoig.' Pam mae athrawon wastad yn gwneud hyn? Doeddwn i ddim yn hoffi'r ffordd yr oedd y lleill yn troi i syllu arnon ni. 'Roedd hwn yn arfer bod yn greadur byw, ar wely'r môr.' Taflodd y garreg i'r awyr a'i dal eto. 'Miliynau o flynyddoedd oed, Daniel. Meddylia!'

'Ro'n i'n meddwl taw carreg oedd hi,' dywedais.

Chwarddodd criw Siwan eto.

'Roedd pobl yn arfer ei galw'n garreg neidr, am eu bod yn meddwl mai neidr wedi troi'n garreg oedd hi. Enghraifft ardderchog.' Rhoddodd hi'n ôl i mi. 'Ti ddaeth o hyd iddi?'

'Mam roddodd hi i mi,' meddwn. Gosodais hi'n ofalus ar bwys y llyfr nodiadau. Arhosodd e yno, yn fy ngwylio, ac yn raddol trodd y lleill at eu gwaith. Ymhen tair munud byddai'r gloch yn canu. Edrychais innau drwy'r atlas.

'Meddwl mynd ar wylie dros hanner tymor?' gofynnodd Gruff.

'Rwy'n trio dod o hyd i rywle,' meddwn, 'ond mae e 'bach yn anodd.'

'Rwy'n gweld.' Taflodd olwg at fy llyfr nodiadau ac roedd fel petai'n deall y cyfan. Gollyngodd ei hun yn araf i'r gadair wrth fy ochr ac estyn am y llyfr. 'Wel, dewch i ni gael edrych ar fap mawr o Brydain. Rwy'n dwlu ar fapie, nag wyt ti?'

Roedd e'n dwlu ar *fapiau*! Darnau o bapur gydag enwau wedi'u gwasgaru ar eu traws nhw! Pesychais, dal llygad Ianto a chyfnewid gwên.

'Meddylia am yr afonydd a'r dyffrynnoedd a'r mynyddoedd wedi'u gosod allan fan hyn,' aeth Gruff ymlaen yn freuddwydiol. 'Meddylia am y traffyrdd yn llawn ceir yn powlio ar eu hyd! A'r rheilffyrdd llawn trenau yn rhuthro ar eu taith. Yr holl ddinasoedd a threfi . . .'

'Rwy'n edrych am y lle arbennig yma,' atgoffais ef, gan gyfeirio at y llyfr nodiadau. Roedd pawb wedi troi i syllu eto. 'Rhywbeth yn gorffen gyda "*wel*".'

'Na, dechreua ar y gwaelod ". . . *ys*". Beth wyt ti'n sylwi arno fe'n syth?'

49

'Dwy ddim yn gwbod.' Syllais ar y map. Roedd e'n gymysgedd o linellau glas a choch a melyn.

'Rwyt ti'n chwilio am sir. Mae gen i deimlad mai dim ond un sir yng Nghymru sy'n diweddu yn "*ys*". Wyt ti'n gwybod p'un yw hi?'

Canodd y gloch, er mawr ryddhad i mi. Cododd ar ei draed.

'Gan bwyll . . .' dywedodd yn uchel wrth y dosbarth, a suddon nhw i gyd 'nôl i'w cadeiriau. 'Un bwrdd ar y tro, os gwelwch yn dda! Dere i'r stafell athrawon ar ddiwedd y prynhawn a rho i fenthyg map OS i ti,' meddai wrthyf.

Ar ôl ysgol rhuthrais i'r ystafell athrawon. Ro'n i am fynd i ymarfer ar y trampolîn y noson honno. Roedd hynny'n golygu bwyta'n gynnar. Rhedais ar draws yr iard o'r labordai gwyddoniaeth a hyd yn oed wedyn ro'n i bron yn rhy hwyr. Cefais fy atal gan Pryderi Siôn, wrth i hwnnw roi ei law ar fy mhen a gwasgu ar i lawr fel petai'n ceisio 'ngwthio trwy'r concrit. Roedd Ianto y tu ôl iddo fe'n gwenu fel petai e'n dal yn ffrind i mi.

'Heia,' meddai.

Chwyrlïais fy mreichiau o gwmpas a gwasgodd Pryderi'n galetach.

'Mae Ianto wedi bod yn dweud hanes dy garreg werthfawr di. Dere i fi gael gweld.'

'Dim gobaith,' chwyrnais. Roedd fy nghalon yn curo fel gordd. 'Gad hi, Pryderi. Mae'n rhaid i fi fynd i weld Mr Gruffydd.'

Gwasgodd Pryderi'n galetach. Roedd fy nhrwyn rhywle o gwmpas fy motwm bol. Ciciais a

50

thynnodd e'n ôl gan ffugio'i fod yn chwerthin am fy mhen i. Wedyn gwthiodd ei ddwylo i 'mhocedi cyn i mi gael cyfle. Tynnodd yr amonit mas a'i dal hi o 'ngafael gan chwibanu.

'Hwn yw e?' gofynnodd i Ianto. 'Rhyw dipyn o hen garreg?'

'Mae'n hen iawn, dwedodd Gruff,' meddai Ianto.

Yn y cyfamser ro'n i'n neidio lan a lawr yn ceisio tynnu braich Pryderi i lawr.

Symudodd yn ôl oddi wrthyf wysg ei gefn, yn dal ei fraich uwch ei ben. 'Gall rhywbeth fel hyn fod yn werth lot o arian,' meddai.

Taflais fy mag chwaraeon at fola Pryderi fel ei fod e'n colli'i wynt. Chwarddodd yntau. 'Oeddet ti'n mo'yn rhywbeth?'

'Bws!' gwaeddodd Ianto'n sydyn. Cododd ei fag a rhedeg am y gât, lle roedd bws yr ysgol yn dechrau symud i ffwrdd. Winciodd Pryderi arna i, troi i'w ddilyn, a thaflu'r amonit 'nôl dros ei ysgwydd. Fe'i daliais jest mewn pryd.

Rhuthrais draw i'r stafell athrawon, gan droi i wneud yn siŵr fod Pryderi ar y bws. Cododd ei law arna i o'r llawr uchaf wrth i'r bws adael.

Roedd Gruff yn amlwg wedi anghofio'i addewid, ond cuddiodd y peth yn dda. Mae'n rhaid fod athrawon yn gyfarwydd â gwneud hynny. Roedd e wrthi'n gwthio'i feic trwy ddrws y stafell athrawon pan gyrhaeddais a chododd ei law pan welodd e fi, rhoi'r beic i mi ddal, a throi 'nôl i mewn. Daeth e'n ôl â phentwr o fapiau OS melyn.

'Pa un wyt ti'n mo'yn?' gofynnodd.

'Powys,' dywedais yn falch.

Chwarddodd o weld fy wyneb i.

'Rhyw reswm arbennig pam fod diddordeb 'da ti?'

'Ges i ngeni yno, Syr.' Dodais i mo'r map yn fy mag chwaraeon. Gwthiais e tu fewn i 'nghrys chwys. Twp, mewn gwirionedd. Dim ond map oedd e. Ond fel yr amonit a nodyn Sami, roedd e'n perthyn i'm gorffennol dirgel.

Pennod 7

Ro'n i'n meddwl llawer am y bachgen gwyllt, y noson honno ar y mynydd.

Daeth e yn yr haf gyda'i bobl yn eu faniau a'u carafannau. Gwersylla yng nghaeau 'yn wncwl i a gwrthod symud o 'na, er bod Wncwl Eryl a Dad yn mynd lawr yno yn gweiddi arnyn nhw ac yn gyrru'r tractors at eu hanifeiliaid. Ro'n nhw'n gadael eu ceffylau byrdew, llwyd i bori'r glaswellt fel petaen nhw gartref. A hynny'n gwneud i Dad regi.

Ro'n i'n arfer gallu clywed y bobl wyllt yn canu gyda'r nos. Gweld eu tanau gloyw.

Ro'n i'n eu caru nhw. Ro'n i'n caru'r bobl wyllt. Roedden nhw'n hapus.

Pan welodd y bachgen gwyllt fi'n gwylio o'r coed chwarddodd ar fy mhen. Gwneud i fi chwerthin— chwerthiniad melys, melys.

'Beth yw d'enw di?' gofynnodd i mi.

Mae pawb yn y cwm yn gwybod fy enw i. Maen nhw'n gwybod heb ofyn. Ro'n i'n gwrido wrth ddweud wrtho.

'Lisa,' meddwn i. Swnio'n od yn dweud e fel 'na.

'Lisa.' Ffordd neis 'da fe o'i ddweud e.

Tro fi oedd chwerthin. 'Dwed d'un di.'

'Sam,' meddai e.

'Cer o 'ma!' meddwn i. 'Dyna enw Dad. Samuel, maen nhw'n ei alw e. Ond dyw Dad ddim fel ti.'

Rwy'n gweld eisie Sam, ydw. Yn fy mreuddwydion rwy'n gweld ei eisie fe.

Y penwythnos hwnnw roedd rhaid i mi ddeifio yn y gystadleuaeth leol. Roedd hi'n bencampwriaeth sirol a rhaid oedd ennill er mwyn mynd ymlaen i'r cystadlaethau cenedlaethol. Daeth Dad gyda fi, fel arfer, a daeth Mam ran o'r ffordd cyn mynd i dreulio'r diwrnod gyda Rhian. Ro'n i'n gweld eisie Meilyr. Bydden ni wedi cael hwyl yn yr hostel y noson cynt, yn gweld sawl pwdin gallen ni fwyta. Druan o Meilyr, ro'n i'n meddwl. Byddai'n well o lawer gen i petai e gyda fi, yn chwarae'r ffŵl yn y cawodydd, yn dwyn fy nhywel, yn rhoi darlithoedd difrifol i mi am ferched; hyd yn oed yn ennill y cwpan. Petai e ond yn byw yn nes byddwn wedi mynd i'w weld, ond rhwng ysgol a hyfforddi doedd dim munud yn sbâr 'da fi. Heblaw am hynny, ro'n i braidd yn swil i fynd i'w dŷ.

Arhosodd Dad gyda'r hyfforddwyr eraill mewn gwesty a rhennais i stafell yn yr hostel gyda thri bachgen arall. Roedd un o'r bechgyn yn chwyrnu fel mochyn. Roedd fel sŵn beic modur—pob ychydig funudau. Pan oeddech chi'n meddwl ei bod hi'n ddiogel mynd i gysgu byddai'n dechrau eto. Yn y diwedd dyma ni'n pentyrru'n clustogau i gyd dros ei wyneb. Roedd hi'n bell ar ôl hanner nos erbyn i ni gysgu. Wnes i ddim trafferthu ysgrifennu hynny yn fy nyddiadur deifio. Byddai'r hyfforddwr wedi ysgrifennu: *'Rhaid i ti gael digon o gwsg cyn cystadlaethau'* ar ei bwys e. Ceisiwch ddweud hynny wrth y beic modur.

Y drwg gyda'r cystadlaethau yma yw, oni bai

eich bod chi'n dda mewn Maths, dydych chi ddim yn gwybod pa mor dda ych chi'n gwneud hyd nes iddyn nhw orffen sgorio. Mae tipyn o aros o gwmpas ac roedd rhai o'r deifwyr yn nerfus iawn gan mai dyma'u cystadleuaeth gyntaf, felly doedd neb lawer am siarad tan ar ôl y cystadlu. Mae'r tyndra'n effeithio ar bawb yn y diwedd. Rydych chi'n ymarfer y deifs drosodd a throsodd yn eich pen. Dydych chi ddim yn gallu meddwl amdanyn nhw tra'ch bod chi'n eu gwneud nhw. Yn union cyn i chi adael y bwrdd ych chi'n mynd dros y ddeif yn eich meddwl, ond dydych chi ddim yn gallu sefyll yno am byth, dim ond munud sydd, ac wedyn rhaid mynd amdani. Mae tawelwch llwyr yn y pwll wrth i chi sefyll yno, gyda'ch breichiau wedi ymestyn o'ch blaen ac yn meddwl am eich deif. Mae fel gweddi, meddai Carwyn Evans. Feiddiech chi ddim meddwl am yr arswyd o deithio drwy'r awyr ar gyflymder o ddeugain milltir yr awr i waelod y pwll. Rydych chi'n gwybod ei fod e'n solet. Rydych chi'n gwybod pa mor beryglus yw e. Ond dyw'r perygl ddim yn bwysig—perffeithio'r grefft sy'n bwysig.

Ro'n i wedi gwneud y deifs gorfodol i gyd ac, yn ôl Dad, fi oedd ar y brig. Ro'n i'n hanner breuddwydio ar y pryd, yn aros am fy nhro ar gyfer y rownd ddewisol, ac yn cofio'r tro cyntaf oll i mi ddeifio, os gellwch ei alw'n hynny. Ro'n i tua deg oed ac ar wyliau gyda Mam a Dad a rhai o'u ffrindiau. Dysgodd rhyw ddyn i mi sut i ddeifio mewn o'r ochr yn lle dal fy nhrwyn a neidio mewn rywsut rywsut. Roedd ofn arna i ac roedd rhaid fy mherswadio i fynd mewn, ond es gyda 'nwylo gyntaf a 'mhen i lawr ac anghofia i fyth mo'r tro cynta 'na, gyda theimlad y dŵr yn llifo ac yn byrlymu o gwmpas fy wyneb a 'nghlustiau. Fe ddes lan yn gweiddi nerth fy mhen. Cyn gynted ag y dringais i mas, deifiais i mewn eto. Doedd dim diddordeb 'da fi mewn nofio rhagor. Dim ond deifio o'n i am wneud. Wedyn sylwais ar bobl yn deifio oddi ar fyrddau uchel. Gorweddais ar fy nghefn a'u gwylio nhw am oesau gan wybod fy mod i am fod lan fan'na hefyd. Ar ddiwrnod ola'r gwyliau gorfodais fy hunan i ddringo lan i'r bwrdd deg metr. Eisteddais yno am oesau, yn gafael yn fy mhenliniau, gyda'm stumog yn troi drosodd a throsodd. Rwy'n credu i'r lleill anghofio'n llwyr amdana i. Ro'n i'n gwybod na fyddwn i'n dringo'n ôl lawr y grisiau yna, ond y tro hwn doedd neb yn fy annog i, na'n chwerthin na'n cyfrif. 'Fyddai neb yn gwybod a oeddwn i wedi'i wneud ai peidio. Roedd e i gyd tu fewn imi, yr ewyllys i'w wneud, yn corddi'n un cwlwm, yn gymysg â'r ofn oedd yn hyrddio o gwmpas yng ngwaelod fy stumog. Ac yna yn sydyn, fe wnes i fe. Es i i flaen y bwrdd a rholio bant. Rwy'n credu mai dyna'r peth mwya i mi ei gyflawni yn fy myw.

'Rhif 7. Daniel Huws.' Galwyd fy rhif ar gyfer deif ola'r rownd gynta. Ro'n i wedi dewis deif gymharol syml. Glân a phur—ro'n i'n dwlu arni. Roedd Carwyn o'r farn mai'r deifs syml oedd yn arddangos gwir ddawn deifiwr. Dringais lan, camu 'mlaen i flaen y bwrdd, troi, a sefyll gyda'm sodlau yn cydbwyso dros yr ymyl. Ara' deg. Lledais fy mreichiau i'r ochrau. Yna taflu 'mreichiau lan ac anelu fel saeth i'r pwll heb dasgu diferyn o ddŵr. Bendigedig.

Pan alwon nhw fy rhif ar gyfer yr ail rownd ro'n i'n breuddwydio am yr holl fedalau a chwpanau oedd gyda ni gartref, ac ro'n i'n meddwl na fyddai dim, hyd yn oed cyflawni fy mreuddwyd bersonol o ennill medal aur yn y gêmau Olympaidd, mor gyffrous â'r diwrnod yr enillais i 'nghystadleuaeth gyntaf un.

Dim ond gornest leol oedd hi, tua blwyddyn ar ôl i mi ymuno â'r clwb deifio, ac roedden ni yn y sefyllfa arferol—ddim yn gwybod beth oedd y sgôr (ac erbyn hynny ddim yn poeni), a phawb yn chwerthin a chrynu gyda'i gilydd yng nghefn y pwll. Dyma nhw'n cyhoeddi'r marciau, a fi oedd gyntaf. Clywais Dad yn rhoi gwaedd o'r oriel. Rwy'n cofio nad o'n i'n gallu stopio gwenu. Cefais y fedal gan y maer ac ysgwyd ei law—wedyn rhuthrais lan stâr yr oriel i ddangos y fedal i Mam a Dad a Rhian. Ro'n i'n methu peidio â gwenu a Mam yn methu peidio â llefen. Ddaeth hi fyth i gystadleuaeth ar ôl hynny—roedd hi'n dweud ei fod yn ei chynhyrfu hi ormod. Hyd yn oed bryd hynny doeddwn i ddim wir yn ddeifiwr uchelgeisiol. Ond ro'n i'n dwlu ar ddeifio gymaint doeddwn i ddim yn gallu meddwl am unrhyw beth arall. Dad oedd yr un oedd yn mo'yn ennill.

'Daniel Huws.' Rhoddodd Dad bwt i 'neffro i o'm breuddwyd, a rhedais lan y grisiau eto.

Roedd y ddeif nesaf yn un fendigedig unwaith eto. Ro'n i'n gwybod y byddai fy marciau i'n uchel. Dringais i mas ac aros am fy nhro eto, a dyna pryd y dechreuodd pethau fynd o le.

Ro'n i'n gwybod fod rhywun yn fy ngwylio i. Menyw oedd hi, yn eistedd ar ei phen ei hun. Roedd hi'n pwyso 'mlaen, yn llawn diddordeb a phob tro yr edrychais lan ro'n i'n medru dweud ei bod hi'n fy ngwylio i fel petai hi'n methu â thynnu ei llygaid i ffwrdd. Fe wnes i 'ngorau i ymddangos fel petawn heb sylwi. Ro'n i'n chwythu ar fy nwylo ac yn rhwbio 'ngwallt ond ar yr un pryd dechreuais deimlo'n dalp o nerfau. Galwyd fy enw a'm rhif eto a rhedais lan y grisiau'n rhy gyflym. Ro'n i'n fyr o wynt erbyn i mi gyrraedd y pen. Doeddwn i ddim am iddi 'ngwylio i. Es i i flaen y bwrdd a sefyll yn rhy sydyn. Es i'n ôl at y grisiau a cheisio anadlu'n rheolaidd. Doedd dim ofn arna i. Doeddwn i ddim yn gallu canolbwyntio ar unrhyw beth ond meddwl am y fenyw ymhell islaw i mi oedd â gwallt mor ddu â 'ngwallt i— gwallt sgleiniog, dulas nad oeddwn wedi gweld ei debyg erioed o'r blaen ond yn fy nrych fy hun. Dyma fi'n paratoi'n hun a'r tro hwn es amdani, ond deifiais fel pysgodyn aur mewn perlewyg, a jest llwyddo i wneud yn iawn.

'Er mwyn dyn, canolbwyntia!' sibrydodd Dad pan ymunais ag e. 'Canolbwyntia, canolbwyntia!'

Efallai ei bod hi wedi bod yn dilyn fy ngyrfa

ddeifio. Roedd fy llun wedi bod yn y papur droeon, yn gwenu fel gât, yn dal cwpan neu fedal. Ac yn awr doedd hi ddim yn gallu cadw draw. Roedd yn rhaid iddi ddod i 'ngweld i ei hunan. Dyna pam fyddai hi'n eistedd yn y cefn, yn gobeithio na fyddai neb yn sylwi. A nawr roedd hi wedi 'ngweld i ar fy ngwaetha.

Dringais lan ar gyfer y ddeif nesaf gydag arswyd fel pwysau plwm yn dal fy nghoesau i lawr. Roedd fy neif orau i ddod. Roedd hi'n un anodd i mi gan fod yn well o lawer gen i fynd oddi ar y bwrdd wysg fy nghefn. Ro'n i wedi bod yn paratoi ar ei chyfer ers wythnosau. Ro'n i wedi'i breuddwydio bob nos. Ro'n i wedi ei gwneud yn berffaith y bore hwnnw yn ystod yr ymarfer. Roedd rhaid iddi hi weld hon. Edrychais i'w chyfeiriad hi cyn rhedeg ar hyd y bwrdd, fel petawn yn ei chysegru iddi hi. Ond tarfodd yr edrychiad arna i. Hyd yn oed wrth i mi adael y bwrdd ro'n i'n gwybod fy mod i wedi rhuthro'r naid. Ceisiais gywiro'r ddeif trwy ddal fy hun yn dynnach nag y byddwn fel arfer ond roedd fy mynediad i'r dŵr yn anniben ac ro'n i'n gwybod y byddwn i'n colli marciau o'r herwydd. Dringais mas o'r dŵr ac eistedd gyda Dad gyda 'mhen yn fy nwylo, heb symud pan gyhoeddwyd y marciau. Ro'n i'n bedwerydd. Ddywedodd Dad ddim. Sefais ar fy nhraed wrth i'r fenyw ddod tuag aton ni. Ro'n i'n crynu. Doedd hi ddim yn mynd i siarad â fi o flaen Dad, doedd bosib? 'Ta faint o weithiau ro'n i wedi breuddwydio am gwrdd â fy mam naturiol doeddwn i erioed wedi dychmygu hynny'n digwydd o flaen Mam neu Dad. Doedd hyn ddim yn iawn.

'Da iawn, Daniel,' meddai hi, gan wenu arna i. 'Roeddwn i'n eitha hoffi dy steil di.' Wedyn cerddodd heibio i mi tuag at y bachgen ddaeth yn gyntaf.

'Wnest ti gawl o honna, on'd do fe?' meddai Dad.

'Sori.' Ro'n i'n syllu ar ei hôl hi o hyd.

'Mae'r fenyw 'na'n chwilio am blentyn i wneud hysbyseb ar gyfer gwisgoedd nofio. Meddylia am yr arian y byddet ti wedi ennill petai hi wedi dy bigo di.'

'Ddylech chi fod wedi dweud,' meddwn i.

'Do'n i ddim am dy gynhyrfu di,' meddai Dad. 'Ond man a man 'tawn i wedi—ar ôl y perfformiad 'na. Rwy wedi gweld eog wedi'i stwffio yn gwneud gwell deif na'r un ola 'na. Rwy'n siomedig iawn ynot ti.'

'Dad! Mae pawb yn gwrando.'

'Sdim gwahaniaeth 'da fi. Beth yn y byd oedd ar dy feddwl di?'

'Fy mam, os oes raid i chi gael gwbod.'

Doeddwn i ddim yn gwybod a oedd e'n fy neall i ai peidio. A doedd dim ots 'da fi chwaith.

Pennod 8

Llwybr mul hen dad-cu yn dechrau'n union heibio'r bont. Falch ohoni, ond roedd y cerrig yn wlyb a llithrig. Roedden nhw'n disgleirio fel wynebau gwyn yn y ddaear ddu.

Anodd cerdded, a dal y bwndel yn fy erbyn i. Cot angladd Mam yn fy ngwneud i'n boeth, ar wahân i 'nwylo. Colli teimlad fy nwylo.

Bob yn llusgo, eisie mynd adref. Fi hefyd. Roedden ni'n uchel lan, a minnau heb fod mor bell erioed o'r blaen. Grugiar yn codi o dan fy nhraed, ac yn clochdar yn ddigon uchel i 'myddaru.

Cer 'nôl, cer 'nôl, mae hi'n clochdar.

Paid â gofidio. Dyna dwy i eisie gwneud. Eisie mynd 'nôl i'r llynedd, cyn i hyn i gyd ddigwydd, a Mam yn dal yn fyw.

Goleuni'n dod yn araf a dioglyd. Gwneud i mi deimlo'n well. Tywyllwch sy'n unig, a thipyn bach yn ofnus.

Ond y goleuni'n dod â mwy o eirlaw. Oer, hyd yn oed yng nghot Mam. Methu peidio â chrynu, a hynny'n dihuno'r peth bach. Clywed e'n crio yn ei fwndel.

Mwya oedd e'n crio mwya o'n i'n mo'yn edrych arno fe. Dim ond ei weld. Ond ddylwn i ddim edrych arno fe. Ddim i fod i wybod ei fod e'n real.

Ond mi wnes i. Aros yn agos i ben y mynydd. Awyr lwyd fel mwg. Rhy oer, rhy boenus, rhy flinedig i fynd ymlaen. Cuddio tu ôl i'r creigiau fel mae'r defaid yn gwneud. Edrych tu fewn i'r bwndel.

Gwallt du, fel y bachgen gwyllt.
Babi bachgen.

Dwy ddim yn gwybod pam na ddywedais wrth
Mam a Dad beth o'n i'n meddwl ei wneud.
Petawn i wedi dweud wrthyn nhw bydden nhw
wedi gofyn i mi aros tan fy mod i'n hŷn, mae'n
siŵr. Efallai bydden nhw'n mo'yn fy helpu i.
Doeddwn i ddim am frifo teimladau Mam mewn
unrhyw ffordd. Doedd e ddim yn feirniadaeth
ohoni hi. Ond doeddwn i ddim am rannu fe gyda
hi, na neb arall chwaith. Roedd i'w wneud â fi'n
hun, ac roedd yn beth cyfrinachol, preifat. Felly
dyma fi'n penderfynu ei wneud fy hun. Roedd
ychydig fel y tro hwnnw y rholiais oddi ar y
bwrdd bach ar fy mhen fy hun.

Felly rhois atlas-ffordd Mam yn ôl iddi heb
ddweud dim ac es i'm stafell gyda map Gruff.

Gwthiais y gadair yn erbyn y drws, ac agorais y
map ar y gwely gyda'r amonit un ochr iddo a
nodyn Sami ar yr ochr arall. Roedd Powys yn
anferth, gyda llawer o linellau brown yn dangos
mor fynyddig ydyw. Cofiais gyngor Gruff ac
edrych ar y cliw nesa o'r gwaelod '. . . *yrddin*'.
Ro'n i'n hollol drefnus ynglŷn â'r peth. Torrais
sgwâr allan o ddarn o bapur a'i ddefnyddio fel
ffenest i symud dros y map. Fel 'na llwyddais i
edrych ar bob un enw lle yn ei dro. Ac o'r diwedd
des o hyd iddo fe, a dim ond un peth y gallai fod.
Maesmyrddin. Roedd mor hawdd. Roedd fel
arwydd, y ffaith ei fod wedi bod mor hawdd. Un

sir, un dref. Dyna pryd ro'n i'n gwybod i sicrwydd beth o'n i'n mynd i'w wneud. Rwy'n credu 'mod i'n gwybod trwy'r amser, o'r funud y neidiodd yr ymadrodd cyfarwydd 'wedi'i fabwysiadu' fel rhywbeth estron oddi ar y tudalen tuag ata i. Doedd e ddim wedi peidio â churo yn fy mhen ers hynny. Roedd *rhaid* i mi ddod o hyd iddi.

Dodais y map a nodyn Sami a'r amonit yn y drâr o dan fy ngwely. Roedd hi'n hanner tymor yr wythnos ar ôl nesaf. Es i lawr stâr a dweud wrth Mam a Dad.

'Chi'n gwbod y syniad 'na gesoch chi am 'yn anfon i am wythnos o hyfforddiant i Gaerdydd dros hanner tymor?' dywedais yn hynod ddidaro.

'Ie?' meddai Mam. 'Rwyt ti wedi meddwl drosto fe, wyt ti?'

'Hoffwn i fynd,' dywedais. Dwy ddim yn meddwl i mi ddweud celwydd wrthi erioed o'r blaen. Roedd fy wyneb yn teimlo fel petai ar dân.

Pennod 9

Pan welais i fe, ro'n i am iddo fe fyw. Dyna i gyd oedd yn fy meddwl i.

Trio cadw fe'n dwym, wedi cwtsho yn fy nghot, fel roedd Mam yn arfer dod ag ŵyn newydd Wncwl Eryl adre pan oedd eu mamau wedi trigo.

Do'n i ddim yn ofnus wedyn. Dim ar ôl i mi ei weld e.

'Ga i brynu 'nhocyn 'yn hun?' gofynnais pan gyrhaeddon ni'r orsaf. Ro'n i'n nerfus. Wedi'r cwbl, yr unig beth o'n i'n siŵr ohono oedd nad o'n i'n mynd i Gaerdydd.

'Na,' meddai Dad. 'Rwy'n mo'yn talu â charden credyd, felly bydd rhaid i fi neud e.'

Gwelodd Mam fy mod i wedi siomi. Mae Mam yn sbwylo fi. Rwy'n credu ei bod hi'n ceisio gwneud yn iawn am beidio treulio llawer o amser gyda fi.

'Mae'n ddyn ifanc nawr, ac mae'n mo'yn gwneud pethau fel hyn ei hunan.' Gwenodd hi arna i fel petawn i'n cymryd fy ngham babi cyntaf tuag at annibyniaeth. Mae'n debyg fy mod i mewn ffordd. 'Gad iddo fe.'

'Sdim arian parod 'da fi !' Doedd dim amynedd 'da Dad tuag ati.

Tynnodd Mam arian o'i bag a'i roi i mi, heb ddweud dim. Gafaelodd hi ym mraich Dad. 'Dere 'mlaen, Pedro. Fe dala i am goffi i ti tra'n bod ni'n aros.'

Ei enw yw Pedr ond mae'n ei alw'n Pedro pan fydd ei hwyl yn ddrwg. Felly bant â nhw, gan chwerthin am ryw gyfrinach y sibrydodd hi wrtho, a dyna sut lwyddais i brynu fy nhocyn fy hun. Ro'n i mor gyfrwys â chadno yr wythnos honno.

Rhedais draw i'r stondin docynnau cyn iddyn nhw gael cyfle i 'nilyn i. Roedd y fenyw tu ôl i'r cownter yn hanner cysgu.

'Rwy'n mo'yn mynd i Aberhonddu,' meddwn, yn gyflym iawn ac mor uchel ag y mentrwn. Trodd ei phen yn araf wrth orffen dylyfu gên.

'Abergafenni?'

'Na, Maesmyrddin.'

'Erioed wedi clywed am y lle,' meddai hi.

'Mae'n agos i Aberhonddu.'

'O, Brecon.'

Cymerodd hi oesau i argraffu'r tocyn a chyfri'r newid. Roedd y bobl yn y ciw yn dechrau anesmwytho ac ro'n i ar bigau'r drain yn disgwyl troi rownd i weld Dad tu ôl i mi unrhyw funud. Byddai draw fel ergyd o wn, tasc fe'n meddwl 'mod i'n cael trafferth.

'Faint o amser i chi'n mynd i fod, fenyw? Ma' bws 'da fi i ddala!' cwynodd y dyn tu ôl i mi.

Gorffennodd gyfri'r geiniog ola ar y cownter a sgubais i'r tocynnau a'r arian mân i 'nwylo a stwffio'r cwbl i 'mhoced.

Trois i weld Dad yn codi'i law ac yn fy ngalw i fynd draw atyn nhw.

'Cymerodd hi ei hamser,' meddai. 'Faint oedd e?'

'Y . . . y . . . tua'r un faint â beth roddodd Mam i fi,' meddwn i. 'Ga i gadw'r newid i gael diod ar gyfer y bws?'

'Mae dy frechdane 'da ti,' atgoffodd fi. Daeth Mam i ymuno â ni gyda baryn o siocled cnau, fy ffefryn.

Rhywsut llwyddais i'w perswadio i beidio aros i 'ngweld yn mynd. Dywedais 'mod i am fynd i'r tŷ bach yn gyntaf.

'Wel siapa, er mwyn dyn, mae'r bws yn gadel mewn pum munud,' meddai Dad.

'Paid â ffysan, Pedro,' meddai Mam, a dechrau adrefnu 'ngwallt yn syth.

'Ffonia i chi heno yn nhŷ Wncwl Daniel,' dywedais wrthyn nhw. Ro'n i'n gwybod y byddai hyn yn achosi problemau. 'A gallwch chi roi rhif ffôn eich gwesty i fi ar gyfer gweddill yr wythnos.'

'Paid â bod yn dwp,' meddai Dad. 'Byddi di'n gwario dy arian poced i gyd ar alwade ffôn.'

'Mae'n well gen i wneud hynny,' meddwn i. Os byddai Carwyn Evans yn dweud wrthyn nhw 'mod i heb gyrraedd, bydden nhw'n galw'r heddlu i chwilio amdana i'n syth.

'Gad e fod, Pedro,' meddai Mam. Agorodd ei bag eto a rhoi cerdyn ffôn i mi. 'Mae digon ar ôl ar hwnna, Daniel. Ond cofia di ffonio.'

'Ie—ar ôl chwech,' meddai Dad, 'bydd hi'n rhatach.'

Roedd e'n edrych yn ddiflas. Dyma'r tro cyntaf i mi fynd bant hebddo fe. Ro'n i'n teimlo'n eitha diflas hefyd. Doeddwn i erioed wedi'u twyllo nhw o'r blaen. Doedd dim rhaid i mi. Roedd Mam yn gwneud pethau mor hawdd.

'Well i mi fynd,' meddwn i. Es i gwtsho Mam a theimlais don o hiraeth. Ro'n i'n teimlo fel petawn i byth yn mynd i'w gweld eto. Siglodd fi'n ôl a 'mlaen, yn ypseto'i hun, yn yspseto ni'n dau. Doedd dim rhaid i mi wneud hyn, meddyliais. Dim os oedd e'n mynd i'w brifo hi.

'Bant â ti,' meddai hi. 'Mwynha dy hun.'

Codais fy mag chwaraeon, ysgwyd llaw â Dad, a hynny'n teimlo'n rhyfedd iawn, a rhedeg ar draws y ffordd tuag at fws Caerdydd.

Ro'n i'n gyfrwys. Doeddwn i ddim yn gwybod tan hynny pa mor gyfrwys y gallwn i fod, na pha mor euog y byddai'n gwneud i mi deimlo. Daliais fws Caerdydd gyda munud yn sbâr. Eisteddais ar yr ochr nesa atyn nhw, rhag ofn bod Mam a Dad wedi penderfynu dod i weld y bws yn gadael. Dwy'n methu â chredu'r peth nawr, ond arhosais tan i'r bws fynd rhyw ganllath lawr yr hewl. Yna, neidiais ar fy nhraed, gafael yn fy mag a symud tua'r blaen a dweud wrth y gyrrwr 'mod i wedi gwneud camgymeriad. Dywedodd hwnnw rywbeth sarhaus dan ei wynt am gyflwr pobl ifanc heddiw wrth dynnu'r bws i'r ochr ac agor y drysau. Roedd fy nghalon yn curo fel gordd erbyn hyn. Rhedais o'r bws ac anelu at doiledau'r dynion. Aeth pum munud heibio cyn i mi fentro mas ato. Doedd dim sôn amdanyn nhw.

Dyma lle daeth fy ngwir gyfrwystra i'r wyneb. Ffoniais Carwyn Evans. Roedd hyn yn mynd i fod yn anodd, gan fy mod wedi siarad ag e'r noson cynt a bod ganddo raglen hyfforddi wych wedi'i pharatoi ar fy nghyfer i. Rwy'n credu 'mod i'n un o'i sêr amlwg, a dweud y gwir. Fe fyddai hi wedi bod yn wythnos ffantastig. Ro'n i'n teimlo'n ofnadwy o feddwl fy mod i'n ei siomi e.

Fel roedd hi'n digwydd, ei wraig atebodd y ffôn. Mae hi'n gofalu am ddeifwyr Carwyn fel iâr am ei chywion, yn ffysan o'n cwmpas ni ac yn gwneud yn siŵr ein bod yn bwyta digon pan fyddwn ni'n aros yno. Dyw hi byth yn bwyta ei hun. Mae'n denau, dyw hi byth yn llonydd ac mae mwg yn byrlymu o'i cheg wrth iddi siarad.

'Daniel, cariad!' meddai hi. 'Mae Carwyn draw yn y gampfa. Ga i gymryd neges?'

Roedd hyn i'r dim. Erbyn iddi drosglwyddo'r neges i Carwyn byddai hi wedi anghofio'i hanner hi ac fe fyddai e'n grac 'da hi, nid fi. Eto, roedd bod yn gyfrwys yn gwneud i mi chwysu. Nid wy'n dda am ddweud celwydd. Ceisiais gadw mor agos at y gwirionedd ag oedd yn bosib.

'Rwy'n ffonio i ddweud 'mod i'n mynd i fod ychydig yn hwyr,' meddwn i.

'O, diar. Wedi colli'r bws?'

'Tua dau ddiwrnod yn hwyr a dweud y gwir. Mae fy ffrind newydd ddod mas o'r ysbyty, ac rwy am fynd i'w weld cyn dod i Gaerdydd.'

'O, diar, ydy e'n dost iawn? O, a byddi di'n colli'r holl hyfforddiant 'na! On'd yw e'n dda ohonot ti i roi dy ffrind gynta!'

'Mae'i rieni'n mynd i'r Alban chi'n gweld.' Suddais yn ddyfnach.

'Yn syth ar ôl iddo ddod o'r ysbyty? Wel, dyw hynny ddim yn neis iawn . . .'

'Wel dyw ei fam ddim yn mynd . . . ond fe fydd hi yn y gwaith . . . mae hi'n gweithio ar ddydd Sadwrn a dydd Sul . . . Rhaid i mi fynd i ddal y bws, Bet. Dwedwch wrth Carwyn fydda i'n ei weld mewn dau ddiwrnod.'

'Cofia wneud dy ymarferion bob dydd . . .'

Gollyngais y ffôn ar ganol ei pharablu, codi 'mag, ac anelu at y bws i Aberhonddu. Cyn gynted ag y symudodd hwnnw teimlais fy hun yn ymlacio. Chwiliais yn fy mhoced a gwasgu'r amonit yng nghledr fy llaw. Ro'n i'n mynd i chwilio am fy mam.

Pennod 10

Yn Aberhonddu roedd yn rhaid aros am fws arall. Ro'n i'n dechrau teimlo'n wael am yr holl gelwydd ro'n i wedi'i ddweud. Mae oedolion yn gallu mynd i ble bynnag maen nhw'n mo'yn neu wneud beth bynnag maen nhw'n dymuno heb orfod dweud celwydd. Roeddwn i'n atebol am bob munud o'r dydd i rywun. Penderfynais wneud iawn drwy ffonio rhieni Meilyr. Roedd ei fam yn wir falch o 'nghlywed i. Aeth hi â'r ffôn i Meilyr a dywedodd e ei fod wedi cael digon ar aros yn y gwely'r rhan fwyaf o'r amser. Roedd hi'n rhyfedd siarad ag e dros y ffôn. Ro'n i'n teimlo'n annifyr iawn.

'Pryd fyddi di'n deifio eto?' gofynnais iddo fe.

Aeth e'n dawel, ro'n i'n meddwl ei fod e wedi gollwng y derbynnydd.

'Meilyr?'

'Dwy ddim yn gwbod . . . Dyw Mam ddim yn awyddus.'

'O, dwy'n gweld.' Ro'n i'n teimlo mor ddiflas ag yr oedd e'n swnio. 'Fe newidith ei meddwl.'

'Gwnaiff. Wyt ti'n deifio penwythnos 'ma?'

'Dwy ddim yn gwbod, ' meddwn i. 'Rwy fod . . .'

'Trosben dwbwl a hanner o chwith. Gwna'r dwbwl a hanner o chwith, Daniel. Cer amdani!'

Roedd ei lais yn swnio'n floesg. Gwthiais fy nwrn yn erbyn ochrau'r ciosg. Roedd y gwydr yn oer a chaled, fel wyneb y pwll wrth edrych i lawr arno.

'Rhaid i fi fynd,' meddwn. 'Bws i'w ddal.'

'Iawn,' meddai yntau. Roedd ei lais yn dod ac yn mynd. Roedd y llinell yn ofnadwy. 'Diolch am ffonio, Daniel. Roedd hi'n dda cael siarad.'

Roedd hi'n dda cael siarad. Roedd hi'n grêt ei glywed e. Ac roedd yn gwneud i mi deimlo ychydig yn well am yr holl gelwydd.

Roedd y bws ddeng munud yn hwyr, wedyn hanner awr, wedyn deugain munud, ac yna cafodd ei ganslo'n llwyr. Bwytais fy mrechdanau a bwydo'r crystiau i'r adar.

Ro'n i'n eitha hapus yn eistedd yn yr haul yn gwylio pobl yn mynd a dod. Daeth rhyw drempyn heibio gan ofyn i bobl am arian. Yr unig newid oedd 'da fi oedd deg ceiniog ac ro'n i'n meddwl y byddai hwnna'n ei ddigio fe, felly chynigiais i ddim byd iddo fe. A dweud y gwir ro'n i'n teimlo embaras o feddwl rhoi arian i oedolyn. Doedd y peth ddim yn iawn. Roedd e'n edrych fel petai eisie bwyd arno fe. Mae'n debyg mai'r peth gorau y gallwn i fod wedi'i wneud oedd rhoi 'mrechdanau iddo fe, ond ro'n i wedi bwyta'r rhan fwyaf o'r rheiny ac roedd yr adar wedi bwyta'r gweddill. Gallwn fod wedi eu gadael ar y fainc iddo—byddai hynny ddim yn edrych fel elusen. Ond efallai byddai'r heddlu'n drwgdybio'r pecyn ac yn ei ffrwydro. Wy wedi sgramblo a phicl oedden nhw. Bydden nhw wedi creu tipyn o lanast. Beth bynnag, ro'n i wedi'u bwyta nhw erbyn hynny.

Ceisiais beidio â'i wylio, a gwylio'r menywod yn lle hynny, gan ddychmygu mai un ohonyn nhw oedd fy mam a'i bod wedi dod i Aberhonddu i siopa. Ro'n i'n dychmygu 'mod i'n ei gweld hi drwy'r amser. Dim ond mewn pencampwriaethau deifio ar y teledu ro'n i'n gweld fy nhad. Fe oedd yr enillydd bob tro. Ond ro'n i'n gweld fy mam ble bynnag yr awn. Doeddwn i ddim ond yn edrych ar fenywod heb blant. Os oedd fy mam wedi rhoi fi bant fyddai hi ddim yn cael rhagor, fyddai hi?

Yna gwelais fenyw dal â gwallt dulas fel fi. Roedd hi fel y fenyw yn y pwll nofio ond yn fwy smart. Cyfoethog, ddywedwn i, ac yn brydferth iawn. Roedd hi'n edrych o'i chwmpas fel petai hi'n aros am rywun. Gallai fod yn hi. Ro'n i wedi bod mor lwcus gyda chliwiau hyd yn hyn felly gallai'n hawdd fod yn hi. Roedd rhaid i mi siarad â hi. Beth petai'n mynd i mewn i dacsi ac yn gyrru i ffwrdd a 'mod i byth yn ei gweld hi eto? Ar hyd fy oes byddwn i'n difaru 'mod i heb siarad â hi. Teflais fy mag dros fy ysgwydd a cherdded yn araf tuag ati, a cheisio edrych yn ddi-hid, ond yn hercian yn fy nerfusrwydd. Po fwya ro'n i'n agosáu ati, mwya anodd oedd hi i edrych arni. Sefais yn union yn ei hymyl hi, yn ewyllysio iddi edrych arna i. Roedd yn rhaid iddi fy nabod i. Ro'n i'n gallu arogli'i phersawr.

'Esgusodwch fi . . .' ffrwydrodd y geiriau mas.

'Rwy'n . . .'

Rwy'n beth?

Llithrodd ei llygaid heibio i mi fel petawn i ddim yn bodoli. Cododd ei llaw ychydig fel petai hi'n ceisio gwthio'r awyr rhyngon ni o'r neilltu. 'Mae'n ddrwg gen i,' meddai, a cherddodd i ffwrdd yn gyflym, er mwyn cael fy ngwared i. Ro'n i'n gwybod wedyn sut oedd y trempyn yn teimlo.

Bu bron i mi â cholli'r bws pan ddaeth e. Ro'n i'n ymarfer bysedd fy nhraed wrth y stondin lyfrau ac ro'n i wedi dechrau anghofio fy mod i'n aros am fws. Rhedais a'i ddal mewn pryd. Teflais fy hun i sedd ac anadlu'n ddwfn. Awr arall cyn cyrraedd yno. Ac wedyn beth?

O'r diwedd cyrhaeddais dref fach wasgaredig ar ochr bryn serth. Roedd hi wedi pump y prynhawn erbyn hyn. Gofynnais am y ffordd i Faesmyrddin i ryw fenyw oedd ar y sgwâr.

'Eitha pell,' meddai hi. 'Tua chwech i saith milltir, bach.'

'Ble alla i gael bws?' gofynnais.

'Bws?' chwarddodd y fenyw. 'Sdim bws o fan hyn i Faesmyrddin. Bydd rhaid i ti ddefnyddio dy goese.'

Gafaelodd yn fy mraich a'm harwain i ymyl y palmant. 'Cer i waelod yr hewl,' meddai. 'Tro i'r chwith, ac wedyn dilyna'r arwyddion. Byddi di yno mewn cwpwl o orie, crwt mowr cryf fel ti.'

Wrth gwrs dwy ddim yn fawr. Rwy'n denau. Rwy'n bwyta mwy nag unrhyw un arall yn y dosbarth ac rwy'n iachach o lawer ond rwy'n dal i edrych flwyddyn yn iau na'r un ohonyn nhw. Dyna pam dwy ddim yn llwyddo gyda merched fel Siwan. 'Dychmyga dy fod ti'n dal,' mae Carwyn yn dweud. 'Gwna dy hun i ymestyn i'r eitha drwy'r amser.' Tynnu cyhyrau'ch bola a'ch pen-ôl i mewn yw'r gamp. Chi'n ennill cwpwl o fodfeddi'n syth. Ond ro'n i'n dal i edrych yn denau.

Cerddais yn ufudd ar hyd y ffordd roedd y wraig wedi cyfeirio ati. Pan gyrhaeddais y cornel a throi rownd roedd hi'n fy ngwylio o hyd, breichiau wedi'u plethu, coesau wedi plannu ar led fel petai hi wedi tyfu gwreiddiau yno.

Beth os taw hi yw'r un, meddyliais, a gwthio'r syniad yn syth o'm meddwl. Codais fy llaw arni. Ro'n i mo'yn iddi fynd. Cyn gynted ag yr o'n i wedi troi'r cornel eisteddais ar ochr yr hewl. Doeddwn i ddim yn barod i fynd ymlaen eto. Roedd angen meddwl yn gynta.

Roedd chwe milltir yn ffordd bell, ond roedd e hefyd yn agos iawn. Roeddwn i chwe milltir i ffwrdd o weld y man lle ces i 'ngeni—chwe milltir i ffwrdd o weld fy mam, o bosib. Tynnais nodyn Sami allan eto, a'i droi drosodd. Tybed sawl tŷ oedd ym Maesmyrddin? Os oedd e'r un maint â'r lle ro'n i newydd fod gallai fod dau gant a mwy. Rhywbeth '-awel'? Roedd 'na Grud yr Awel drws nesa ond un i ni gartre. Dyna'r unig beth y gallwn i feddwl amdano—rhaid taw hwnna oedd e. Crud yr Awel. A beth yn y byd fyddwn i'n gwneud pan ddown i o hyd iddo fe? Curo ar y drws? Dweud

'Hei. Fi yw eich mab!' a disgwyl iddi afael yno' i a 'ngwahodd i mewn am bice ar y maen? Gofyn i mi faddau iddi? Ai dyna beth o'n i'n mo'yn? Doeddwn i ddim yn gwybod beth o'n i'n mo'yn mewn gwirionedd. Rwy'n credu 'mod i am weld sut oedd hi'n edrych, dyna i gyd. Fel 'y mod i'n gallu credu ei bod hi'n berson real.

A dyna ofid arall. Ble ro'n i'n mynd i gysgu heno? Doeddwn i ddim wedi meddwl ymhellach nag ymweld â Maesmyrddin. Doeddwn i ddim wedi dychmygu y byddai'n cymryd mor hir i ddod mor bell â hyn. Efallai 'mod i wedi hanner dychmygu y byddwn yn cysgu ym mwthyn fy mam gyda thrawstiau ar draws y nenfwd a phapur wal blodeuog. Ond nawr fy mod i mor agos at ddod o hyd iddi ro'n i'n gwybod i sicrwydd na fyddwn i'n rhoi'r gorau iddi tan i mi lwyddo, hyd yn oed os byddai'n cymryd wythnos gyfan. Y cwbl oedd 'da fi oedd pethau nofio, un set o ddillad a'r sach gysgu ro'n i'n mynd â hi gyda fi bob amser i aros gyda Carwyn a Bet. Efallai y byddai rhaid i mi gysgu dan ryw berth. Meddyliais am y trempyn. Mae'n debyg ei fod e'n gwneud hynny bob nos. Ac roedd hi'n noson hyfryd o haf. Ro'n i'n eitha hoffi'r syniad.

Ond fe fyddai'n cymryd dwy neu dair awr i gerdded i Faesmyrddin. Os nad o'n i'n ffonio cyn chwech byddai Dad yn siŵr o ffonio Carwyn Evans yng Nghaerdydd. Byddai hynny'n drychineb. Ac efallai nad oedd ciosg ar y ffordd, neu fe allai fod un wedi cael ei fandaleiddio. Cerddais 'nôl i'r sgwâr ac aros tu allan i'r ciosg yno. Doedd e ddim yn cymryd cardiau ffôn. Saethais i mewn i'r siop a phrynu diod er mwyn cael newid, ac ar ôl meddwl am gysgu dan y berth prynais gnau a siocled. Symudiad da arall. Roedd yn rhaid ciwio eto ar gyfer y ffôn. Wrth ddeialu rhif Wncwl Daniel cynlluniais y stori yn fy mhen. Peiriant ateb. Rwy'n casáu'r peth fel arfer ond heddiw roedd yn wych. Y person ola ro'n i am siarad â hi oedd Mam.

'Hei,' meddwn i. 'Daniel 'ma. Dwedwch wrth Mam a Dad 'mod i wedi cyrraedd yma'n saff. Hwyl.'

Ro'n i'n teimlo'n rhydd. Dim celwydd, os nad oedden nhw'n aros i feddwl beth yn union oedd 'yma' yn ei olygu. Mas â fi i'r heulwen gan daflu 'mag dros fy ysgwydd a dechrau loncian i lawr yr hewl am Faesmyrddin.

Roedd y bore wedi gwawrio erbyn i ni gyrraedd y cwm arall. Clywed tractorau a cheir. Darnau o eira'n lluwchio o 'nghwmpas i.

Gweld tŷ a'r goleuadau ynghynn. Aros a chuddio. Gwylio menyw yn taflu bara ar ei llwybr. Ar ôl iddi fynd 'nôl i mewn es i lawr y lôn i'w gât hi. Tŷ neis, crand, ddim fel un ni. Roedd blwch wrth y gât ar gyfer llythyron. Blwch pren, gwyrdd â chaead.

Meddwl bod y babi'n cysgu'n glyd yn ei sach. Dodais y babi yn y blwch.

Dan y blwch roedd poteli llaeth ac amlen wedi'i rhwygo, a phensil ar ddarn o gortyn. Roedd neges ar y papur -'dim llaeth heddiw'.

Torrais ddarn o'r amlen. Ddim yn gwybod beth i'w ddweud. Ddim yn gwybod beth i'w alw fe. Methu gadael heb roi enw iddo fe.

Wedyn meddyliais am y bachgen gwyllt.

Rhaid 'mod i wedi bod yn cerdded am dros awr pan ddechreuodd hi fwrw. Newidiodd y tywydd yn llwyr o fod yn brynhawn heulog braf i fod yn noswaith lwyd a thywyll, ac fe ddechreuodd ei harllwys hi. Llifodd tonnau anferth o'r awyr gan lanw 'ngholer a 'mhocedi a'm sgidiau rhedeg. Gallwn fod wedi nofio. Cysgodais o dan goeden ond roedd y dŵr yn rhaeadru rhwng y brigau. Ro'n i'n rhy ddiflas i fynd ymlaen. Edrychai fel petai'r glaw yn mynd i barhau drwy'r nos. Agorais fy mag a thynnu 'nhywel allan a'i roi am fy mhen. Helpodd hynny am ychydig. Roedd fy nannedd yn clecian a 'nwylo'n goch a dideimlad. A dwy ddim yn gwybod pam, ond yn sydyn sylweddolais nad oedd rhif ffôn gwesty Mam a Dad 'da fi. Y funud hon efallai fod Dad yn ffonio Carwyn Evans i adael neges. Ond i ddweud y gwir ro'n i mor wlyb doeddwn i ddim yn hidio.

Rhwygais y pecyn cnau ar agor a dechrau'u stwffio nhw i 'ngheg, yn grac gyda fy hun am eu bod i fod ar gyfer brecwast yn ogystal â the, ond er gwaetha hynny gorffennais y cwbwl, ac wedyn teimlo mor sychedig nes i mi yfed y ddiod i gyd hefyd. Ro'n i ar fin dechrau ar y sioctled, gan ddweud wrthyf fy hun 'mod i ei angen er mwyn cysur, pan stopiodd Land Rover gyda dyn a menyw ynddo fe.

'Ti mo'yn lifft i rywle?' galwodd y fenyw. 'Ti'n dishgwl yn wlyb sops, bach.'

Roedd y Land Rover yn anelu i'r cyfeiriad ro'n i newydd ddod ohono. Roedd y syniad o ddal bws 'nôl adre'n ddeniadol iawn. Beth bynnag, sut allwn i gyflwyno'n hun i fy mam yn edrych fel hyn? Oedais am eiliad. Roedd rhoi'r gorau iddi nawr yn demtasiwn mawr.

'Rwyt ti filltiroedd o bob man,' meddai'r dyn. 'Dere mlân. Mewn â ti.'

Trodd y gangen uwch fy mhen wyneb i waered a gwagio'i hun ar fy ngwar. Dyna benderfynu pethau. Llithrais i mewn yn ddiolchgar, gan stwffio 'nhywel gwlyb i 'mag. Gwasgais i mewn nesa at y fenyw, oedd yn gwynto'n gryf o winwns wedi ffrio a selsig, a gallwn fod wedi'u bwyta nhw oddi ar ei chot.

'Ble wyt ti'n byw?' gofynnodd y dyn. 'Dwy ddim wedi dy weld o gwmpas o'r blaen.'

Gallai hwn fod yn ymgais i 'nhwyllo i. Efallai eu bod nhw wedi clywed am fachgen oedd ar goll ar y newyddion. 'Rwy ar 'y ngwylie,' meddwn, gan ddweud y gwir. 'Ro'n i mas am dro.'

'O, o'r hostel ieuenctid wyt ti?'

Yr hostel ieuenctid. Llyncais yn galed a gadael i 'mhen gwympo'n ôl. Ro'n i wedi aros mewn hosteli ieuenctid ar dripiau ysgol ac weithiau yn ystod tripiau cystadlu. Fe fyddai 'na fwyd, a chawod boeth, gwely a stafell sychu yn fan'na. Yr

78

ateb i weddi crwydryn, ac roedd digon o newid ar ôl 'da fi o arian Mam. Roedd yn werth dweud celwydd y tro hwn eto. 'Ydw,' meddwn i. 'Rwy'n aros yn yr hostel.'

'Awn ni â ti draw,' meddai'r fenyw. 'Mae'n dipyn o ffordd o ben y lôn, Gareth.'

Ar ôl tua milltir ar hyd yr hewl ro'n i newydd ei cherdded, trodd y Land Rover i mewn i lôn arw, rhychiog a chawsom ein taflu o'r naill ochr i'r llall. Roedd yr hostel yn adeilad hir, tebyg i ysgubor gyda llawer o ffenestri, a'r goleuadau ohonynt yn loyw yn y gwyll. Diolchais i'r ddau a thaflu'n hun 'nôl i ganol y glaw.

Dywedodd y warden y gallwn aros y nos heb ymuno â'r YHA, a thalais yn ddiolchgar am bryd o fwyd poeth, gwely am y nos a brecwast. Wedyn es i chwilio am ffôn. Ffoniais Wncwl Daniel gan ofni beth o'n i'n mynd i'w glywed.

'Helô 'na, Daniel!' meddai fy wncwl. 'Maen nhw newydd gyrraedd. Dal 'mlaen, af i mo'yn dy dad.'

Roedd y car wedi torri lawr ar y ffordd, meddai Dad. Roedd hi wedi cymryd oriau iddyn nhw gyrraedd. Roedd e wedi cynhyrfu ac eisie bwyd a doedd e ddim mewn hwyl siarad. 'Mae'n swnio fel petait ti'n ffonio o'r pwll,' meddai, wrth i ddau fachgen redeg heibio yn gweiddi ar ei gilydd a'u lleisiau'n adleisio o gwmpas yr ystafell. 'Mwynha dy hun, Daniel.'

'Diolch,' meddwn i, wrth roi'r ffôn i lawr. 'Diolch am bopeth, Alexander Graham Bell.'

Ges i gawod, newid i 'nillad sych a rhoi popeth arall yn yr ystafell sychu. Roedd y lle'n llawn ager o ddillad llaith. Wedyn llwyddais i balu'n ffordd trwy bryd anferth o fwyd yr hostel, gan wrando ar straeon y cerddwyr o 'nghwmpas i, a bron cwympo i gysgu i mewn i 'nhrydydd basned o bwdin reis. Cyrhaeddodd dau feiciwr yn hwyr ac roedden ni i gyd yn gallu clywed y warden yn cael hwyl wrth ddweud y byddai digon o fwyd ar gael ond fod un o'r hostelwyr wedi bwyta popeth oedd ar ôl. Cafodd y bobl wrth fy mwrdd hwyl fawr yn gwneud sbort am fy mhen i. Fel arfer byddwn wedi ymuno yn yr hwyl. Ond ro'n i'n nabod un o'r beicwyr. Aeth fy stumog yn oer pan glywais ei chwerthiniad uchel mas yn y cyntedd. Sleifiais o'r neuadd, lan y stâr ac edrych lawr i wneud yn siŵr. Pryderi Siôn.

Es yn syth i'r stafell wely a bachu'r gwely uchaf mewn cornel ymhell o'r drws. Penderfynais aros yno a chuddio. Fe oedd y person ola ro'n i am ei weld.

Pennod 11

Drannoeth, roedd hi'n heulog braf. Doedd dim golwg o Pryderi. Rhaid ei fod e'n gwneud ei fwyd ei hun yng nghegin yr hostelwyr. Efallai ei fod wedi gadael yn gynnar. Llwyddais i anghofio amdano fe. Ar ôl brecwast o uwd ac wyau wedi'u ffrio a ffa ar dost, ro'n i'n barod am unrhyw beth. Fy ngorchwyl i oedd ysgubo stafell wely'r bechgyn. Roedd bachgen arall wedi cael yr un gorchwyl ac fe gymerodd hi oesau i ni achos ei fod e'n araf ac roedd fy mrwsh i'n foel. O'r diwedd ro'n i'n rhydd. Paciais fy nillad sych yn fy mag chwaraeon a chychwyn i lawr y lôn, gan chwibanu. Ro'n i'n teimlo'n grêt. Ro'n i methu aros i gyrraedd Maesmyrddin, a bod y tu allan i Grud yr Awel. Doeddwn i ddim wedi sylwi o'r blaen mor fendigedig yw'r wlad. Roedd y perthi'n llawn blodau bach a gwlith yn disgleirio arnynt, ac roedd yr adar yn canu'n uwch na chriw o blant yn mynd yn wyllt mewn pwll nofio.

Ar ôl hanner awr cyrhaeddais y goeden lle ro'n i wedi ceisio cysgodi, heb lwyddiant, y diwrnod cynt. Doeddwn i braidd yn gallu credu mor ddiflas ac isel ro'n i wedi teimlo bryd hynny. Ro'n i'n teimlo y gallwn i gerdded milltiroedd nawr, beth bynnag oedd y tywydd. Arhosais i dynnu'n siaced. Wrth i mi ei stwffio i 'mag chwaraeon, pwy ddaeth rownd y cornel ond Pryderi a'i ffrind ar gefn eu beiciau.

Gwasgodd Pryderi ei frêcs a sgrialu wrth stopio. Eisteddodd ar ei feic a gwên lydan ar draws ei wyneb, a chan edrych arna i fel taw fi oedd ei ffrind gorau yn y byd i gyd.

'Ro'n i'n meddwl 'mod i wedi dy weld di neithiwr,' meddai, 'yn stwffio dy wyneb ag uwd.'

Anwybyddais ef. Roedd fy nghalon yn troi wyneb i waered yn fy mrest.

'Dyma gorrach yr ysgol,' meddai wrth ei ffrind. 'O, anghofies i, mae hefyd yn bencampwr deifio'r byd.' Cododd oddi ar ei feic a'i adael i lithro i'r llawr. Sythais a gafael yn 'y mag chwaraeon, ond fe'i cipiodd i ffwrdd oddi wrthyf, gan chwerthin yn dawel.

'Ac mae'n casglu cerrig, on'd wyt ti, Daniel?'

Agorodd sip y bag ac arllwys y cynnwys ar y llawr. Rholiodd yr amonit allan, a chyn i mi gael cyfle i'w gyrraedd roedd e wedi'i guddio o dan ei sgidiau beicio maint deuddeg.

Seiclodd ei ffrind i ffwrdd yn araf, oherwydd diflastod neu embaras. Ystyriais droi fy sylw at feic Pryderi a'i falu, ond ro'n i'n gwybod y byddai e'n fy ngadael ar wastad fy nghefn mewn cae petawn i'n gwneud hynny. Roedd rhaid aros i weld beth oedd ar ei feddwl e. Siarsiais fy hun i beidio â chynhyrfu, os o'n i fyth eisie cael yr amonit yn ôl. Doedd dim modd rhesymu gyda chreadur fel Pryderi. Wedi'r cwbwl, doedd dim byd yn ei ben ond blawd llif.

Cododd Pryderi'r amonit ac edrych arno. Yn amlwg, roedd yn achosi penbleth iddo.

'Dyw e ddim yn werth dim byd, wir i ti,' meddwn, mor ddidaro ag y gallwn. Ro'n i bron â chwydu o banig, ond cedwais fy hun yn llonydd. Dyma'r ddeif uchel heb ddŵr yn y pwll, meddwn wrthyf fy hun. 'Dim ond rhywbeth roddodd fy mam i mi pan o'n i'n blentyn yw e.'

'Mm,' mwmianodd yntau. Chwibanodd ar ei ffrind, a daeth hwnnw'n ôl atom.

'Elis, faint ddwedet ti yw gwerth hwn?' gofynnodd Pryderi iddo.

Gafaelodd Elis yn y garreg. 'Sa i'n gwbod. Ugen punt?'

'Swno'n deg.' Gwenodd Pryderi arna i. 'Gwertha i e i ti am ddeunaw, Daniel. Beth amdani?'

Cyfrifais yn sydyn yn fy mhen. Ro'n i'n gwybod nad oedd cymaint â hynny 'da fi.

'Deg,' atebais. Tynnais yr arian mas a'u hestyn iddo fe. Simsanodd ei ffrind ar ei feic, gan daflu'r amonit o un llaw i'r llall.

'A'r gweddill,' meddai Pryderi.

'Shwt ydw i'n gwbod dy fod di'n mynd i'w roi e i fi?'

'Gwerthu fe i ti,' cywirodd.

'Fe wna i'n siŵr y cei di fe,' addawodd Elis. 'Rwy'n hoffi gweld pethe'n cael eu gwneud yn iawn.'

Gwagiais fy mhocedi. Roedd 'da fi un nodyn arall a llond dwrn o newid. Pliciodd Elis y nodyn a'i gyflwyno i Pryderi. Wedyn rhoddodd yr amonit i mi. Roedd yn wlyb â'i chwys. Caeais fy nwylo amdano fe.

'Ti wedi cael bargen fan'na,' meddai Elis.

Caeais fy llygaid. Ro'n i'n ewyllysio Pryderi i fynd. Doeddwn i byth am ei weld yn fy myw eto. Clywais nhw'n chwerthin, clywed Pryderi'n codi'i feic, a'u clywed nhw'n chwyrlïo i lawr y lôn, o'r diwedd. Agorais i ddim o'm llygaid nes bod sŵn eu beiciau wedi diflannu'n llwyr.

'Edrychwch ar ôl Sami,' ysgrifennais yn ofalus ar y sgrap o bapur. Sami. Roedd rhoi enw iddo fe yn ei wneud yn real.

Gosodais y papur ar ei bwys e yn y blwch gwyrdd. Roedd e'n edrych mor fach a diniwed.

Gwybod na fyddwn i byth yn ei weld e eto. Teimlo y byddwn i'n hoffi rhoi rhywbeth iddo fe.

Wedyn cofiais am y garreg neidr yn fy mhoced. Roedd hi'n mynd i bobman gyda fi. Dyma'i gosod mor dyner ag wy yn ei ymyl.

Caeais glawr y blwch, a dechreuais redeg, mor gyflym ag y gallwn, gan ddal y poenau gyda'i gilydd, poen bola a phoen crio, i gyd yn un.

Roedd yn chwe milltir hir iawn. Mwy fel wyth. Ro'n i'n dweud wrthyf fy hun nad oedd raid i mi wneud hyn. Gallwn ffonio gwesty Dad cyn gynted ag y cyrhaeddwn Maesmyrddin a rywsut byddai e'n ei gwneud yn bosibl i mi fynd i Gaerdydd. Byddai wedi'i frifo ac yn grac am beth o'n i wedi'i wneud tu ôl i'w gefn, ond byddai'n rhoi'r deifio yn gyntaf beth bynnag ac fe fyddai e'n moyn i fi fynd 'nôl at fy hyfforddiant. Dyna i gyd fyddai'n ei boeni e. A byddai'n grêt i ddeifio eto, a chael treulio pob dydd o'r gwyliau'n perffeithio pethau ar gyfer y gystadleuaeth. Po fwya ro'n i'n meddwl amdano fe, mwya ro'n i'n crefu bod 'nôl ar y bwrdd deifio, yn barod ar gyfer hedfan yn rhydd drwy'r awyr.

Ond doeddwn i ddim yn rhydd mwyach. Roeddwn i wedi'n meddiannu, on'd o'n i?

Pennod 12

Pentre bychan oedd Maesmyrddin. Roedd cwpwl o dafarndai, ysgol fach, tua hanner dwsin o siopau, eglwys ac afon, a dyna fe. Gwasgarwyd y tai ar hyd y brif hewl a lan y bryn tu ôl iddi. Ni fyddai'n cymryd yn hir i'w chwilio. Roedd eisie bwyd arna i erbyn hyn. Sefais ar y bont a bwyta'r Mars, gan freuddwydio am ddeifio i'r dŵr, oedd tua troedfedd o ddyfnder. Tynnais fy ysgwyddau'n ôl a theimlo'r cyhyrau yn fy stumog yn tynhau, bysedd fy nhraed yn gwasgu lawr, a'm breichiau'n ysgafn wrth fy ochr, yn barod i symud. Roedd Carwyn yn disgwyl ymroddiad llwyr gan ei ddeifwyr. Wedi'r cyfan, dyna oedd e yn ei roi iddyn nhw. Tybed a oeddwn i wedi colli 'nghyfle gyda fe am byth.

Tarfwyd ar fy meddyliau gan sŵn rhyw fenywod yn chwerthin. Roedden nhw'n sefyll wrth y bont tu allan i'r swyddfa bost. Efallai mai fy mam oedd un ohonyn nhw, meddyliais. Eisteddais ar y bont yn eu gwylio, gan geisio penderfynu pa un ro'n i'n ei hoffi orau. Roedd 'na fenyw mewn ffrog las fel petai'n gwrando'n dawel ar y lleill heb ymuno yn y sgwrs ei hun. Roedd hi'n edrych draw ata i a gwên ar ei hwyneb fel petai hi'n meddwl 'mod i'n gwrando ar eu sgwrs ynglŷn â thriniaethau llawfeddygol. Ro'n i'n ei hoffi hi. Daeth merch o tua'r un oedran â mi at y grŵp, ac wedi siarad â'r fenyw yn y ffrog las, aeth y ferch i eistedd ar ben arall y bont, a syllu arna i.

Edrychodd y lleill draw ata i wedyn a dechreuais deimlo'n anghyffyrddus. Es draw atyn nhw, yn swingio 'mag mewn ffordd ddidaro, ond bu bron i mi â bwrw pen rhyw gi bach ar dennyn oedd yn perthyn i un o'r menywod. Ro'n i'n teimlo'n dwp a phlygais i'w fwytho ond neidiodd hwnnw ata i, gan anelu at fy ngwddf ond daliodd yn fy siaced â'i ddannedd yn lle hynny. Chwarddodd y menywod i gyd ond yr un yn y ffrog las. Plygodd hi i'w dynnu fe oddi arna i. Ro'n i'n meddwl ei bod hi'n wironeddol neis.

'Mae'r ci 'na'n dipyn o niwsans,' meddai hi'n dawel. 'Mae'n biti na wnest ti'i fwrw fe'n galetach â dy fag.'

Dechreuodd symud i ffwrdd a dilynais hi; doeddwn i ddim yn awyddus i gael fy ngadael gyda'r criw o fenywod a'u clochdar.

'Ydych chi'n gwbod ble mae Crud yr Awel?' gofynnais. Ro'n i'n nerfus iawn yn ei ddweud e'n uchel. O'r holl fenywod yno, efallai mai hi oedd yr un. Ro'n i am iddi fod. Doeddwn i ddim am fentro gobeithio mai hi fyddai hi. Ond edrychodd hi arna i fel petai mewn penbleth.

'Crud yr Awel?' Roedd ganddi lais ysgafn, swynol. 'Dwy ddim yn meddwl bod 'na un ym Maesmyrddin, oes e?'

'Beth am Awel y Bryn?' cynigiodd un o'r menywod.

'Nage, Awel y Grug yw ei enw,' cywirodd un arall, 'ond dim ond chwyn rwy wedi gweld yn tyfu 'na.'

'Na. Crud yr Awel,' meddwn i.

'Dwyt ti ddim yn gwbod pwy sy'n byw 'na?'

'Rwy'n credu ei fod e'n gorffen gydag "-on" neu "-m",' meddwn yn ddigalon.

'Ond does dim ots,' ychwanegais. 'Wir, does dim ots. Af i ofyn yn y Swyddfa Bost.'

Cerddais wysg fy nghefn oddi wrthyn nhw wrth i bob un ohonyn nhw ddechrau pwyntio i gyfeiriadau gwahanol. Ro'n i'n difaru 'mod i wedi gofyn. Dychmygais nhw'n codi eu bagiau siopa, a'r ci ofnadwy 'na, a phawb yn dechrau trotian o gwmpas y pentre gyda fi, yn syllu ar enwau ar gatiau ac yn parablu am bawb oedd yn byw yno.

Beth bynnag, roedden nhw'n iawn. Doedd dim Crud yr Awel yn unman ym Maesmyrddin. Roedd fy nhraed yn brifo ar ôl yr holl gerdded, ac roedd y diwrnod cynnes wedi troi'n noswaith oer erbyn i mi ddod i'r casgliad hwnnw. Ro'n i'n starfo eisie bwyd, a doedd dim unman 'da fi i fynd.

'Dyna ni,' meddyliais. 'Rwy wedi cael digon.' Ro'n i wedi cael llond bol. Penderfynais mai'r unig beth i'w wneud yn awr oedd cerdded yn ôl i'r hostel, bob cam o'r wyth milltir. Ro'n i'n siŵr y byddai'r warden yn fodlon i mi aros am noson eto petawn i'n addo y byddai Dad yn danfon arian atyn nhw yr wythnos nesaf. Ac yfory byddwn i'n mynd adref. Adref. Roedd e'n air deniadol iawn erbyn hyn. Roedd yn air maddeugar, cyffyrddus.

Dechreuodd cloc yr eglwys daro a sylweddolais 'mod i awr yn hwyr yn ffonio. Ro'n i wedi gweld y ciosg ym mhen arall y pentre. Dyma fi'n hercian draw yno. Roedd fy sgidiau rhedeg wedi achosi i mi gael swigod. Doedd y ffôn ddim yn cymryd cardiau, ond roedd gen i ddarnau arian. Cymerodd oesau i'r dderbynfa yn y gwesty fy nghysylltu â stafell Mam a Dad.

'Daniel!' meddai Mam. Roedd hi'n grêt clywed ei llais. 'Ro'n i ar fin ffonio Mr Evans,' meddai hi. 'Wyt ti'n mwynhau dy hun?'

'Ydw,' meddwn i. Does dim syniad 'da chi faint o'n i am arllwys y cyfan iddi bryd hynny. Roedd sŵn ei llais yn codi mwy o hiraeth arna i nag erioed. 'Mam, rwy'n flin . . .'

'Wyt ti'n iawn, cariad? Eisie siarad â dy dad?'

Yn sydyn, sylwais ar rywbeth y tu allan i'r ciosg. Roedd fel golau llachar yn y tywyllwch, ac roedd mor ddisglair a chlir. Agorais ddrws y ciosg i wneud yn siŵr fy mod i'n ei weld yn iawn.

'Daniel?'

'Mae'n iawn, Mam. Rwy'n iawn. Grêt.'

'Dyma fe'n dod.'

'Galla i ffonio fory? Rwy . . .'

Clywais glic. Roedd yr arian i gyd wedi'i ddefnyddio. Gosodais y ffôn yn ôl yn ci gawell mewn rhyw fath o berlewyg, ond gan geisio cadw'n llonydd, ac yn ceisio anadlu'n ara deg. Cerddais yn araf ar draws y lôn at y tŷ gyferbyn. Roedd y lôn yn diweddu yno, ac yn troi'n llwybr pridd oedd fel petai'n codi'n uwch ac yn uwch lan y bryn, os nad mynydd efallai. Roedd y copa dan gwmwl. Tŷ llwyd o gerrig oedd e gyda gardd hir, llawn blodau. Roedd blwch llaeth wrth y gât a blwch gwyrdd ar y wal, ar gyfer llythyron mae'n siŵr. Ond yr enw ar y gât oedd yn tynnu fy sylw.

Ro'n i ar fin rhoi'n llaw ar y glicied pan gyrhaeddodd y ferch o'r bont o rywle. Ro'n i wedi anghofio'n lân amdani hi.

'Helô eto!' meddai hi. 'Wedi ffindo'r tŷ, 'te?'

'Ro'n i wedi gwneud camgymeriad,' atebais. 'Nid Crud yr Awel oedd e. Brodawel.'

Edrychais i ddim yn ôl. Cyrhaeddais ben y mynydd, ac edrychais i ddim yn ôl.

Roedd sgwarnogod gwyn yn dawnsio o 'nghwmpas i.

Roedd y storm eira yn suo yn fy nghlustiau.

Edrychwch ar ôl Sami.

Pennod 13

Dilynodd y ferch fi lan y llwybr a sefyll tu ôl i mi wrth i mi ganu'r gloch. Roedd hi'n codi fy ngwrychyn i. Ro'n i angen bod ar fy mhen fy hun ar gyfer hyn.

'Wyt ti'n mo'yn rhywbeth?' gofynnais iddi.

'Bwyd,' meddai. 'A does dim pwynt i ti ganu'r gloch, mae un mas ac mae'r llall yn y gwely.'

'O.' Dyna dynnu'r gwynt o'm hwyliau.

Agorodd hi'r drws a throis innau i ffwrdd. 'Gelli di ddod mewn i aros, os wyt ti'n mo'yn,' meddai.

Felly dyna sut es i mewn i Frodawel. Edrychais o 'nghwmpas, gan geisio dyfalu ym mha stafell ces i 'ngeni. Roedd y lle'n arogli o bolish a blodau, ac roedd e'n hen ac yn dywyll gyda thrawstiau ar draws y nenfwd. Roedd y waliau wedi'u gorchuddio â darluniau o lynnoedd a bryniau. Tybed ai fy mam oedd wedi'u paentio nhw? Rwy'n eitha hoffi arlunio ond dwy ddim yn dda iawn. Dwy ddim yn dda iawn am wneud unrhyw beth heblaw deifio.

Dilynais y ferch i'r gegin henffasiwn, dywyll. Byddai Mam yn ei galw'n ddiflas ac oerllyd, ond roedd fflamau tân coed yn ei chynhesu hyd yn oed ar ddiwrnod ym Mehefin fel hyn. Doeddwn i erioed wedi bod mewn tŷ â thân go-iawn o'r blaen, ond mae gyda ni un nwy yn y lolfa sy'n edrych fel glo.

'Beth yw d'enw di?' gofynnodd y ferch.

'Mae'n well gen i beidio â dweud ar hyn o bryd.' Dwy ddim yn gwybod pam ddywedais i hyn'na. Roedd e'n swnio mor ffroenuchel.

'Pam oeddet ti'n mo'yn gweld Mam, 'te?'

Ddywedais i ddim byd.

'Mae hynny'n ddirgelwch hefyd?'

Nodiais fy mhen.

'Digon teg.' Tynnodd hi fwyd o'r oergell. 'Fyddet ti ddim yn hoffi peth o hwn fyddet ti? Rwy wedi cael llond bol ar *pizza* oer ac mae Mam yn dweud bod rhaid i ni orffen e cyn y cawn ni unrhyw beth arall.'

Ceisiais edrych yn ddidaro. 'Man a man. Bydde dim ots 'da fi,' meddwn i. Bron cyn iddi orffen torri'r *pizza* yn ei hanner ro'n i wedi llyncu'n siâr i. Gallwn fod wedi bwyta hanner dwsin o ddarnau'r maint yna.

'Nag wyt ti wedi bwyta unrhyw beth heddiw?'

'Dim llawer,' atebais.

Pwysodd yn ôl yn ei chadair. 'Rwy'n gwbod! Rwyt ti wedi rhedeg bant o gartre, on'd wyt ti?'

'Na. Wir. Rwy ar fy ffordd i Gaerdydd. Ro'n i am weld y lle 'ma gynta.'

'Y bwthyn 'ma? Pam?'

Allwn i ddim dweud. Roedd yn rhy bwysig, ac roedd yn swnio'n dwp. Doeddwn i ddim hyd yn oed yn gwybod sut i egluro.

Estynnodd hi hanner arall y *pizza* draw ata i. 'Man a man i ti fwyta hwn hefyd. Byddet ti'n gwneud ffafr â fi a dweud y gwir.'

'Dygodd rhywun 'yn arian i,' dywedes i a 'ngheg yn llawn *pizza*.

'Ro'n i'n meddwl taw rhywbeth fel 'na oedd yn bod. Rwyt ti wedi dod i ofyn am arian!'

'Na!' Ro'n i wedi dychryn. Dyna'r peth ola ro'n i am i unrhyw un feddwl. 'Mae peth 'da fi o hyd. Des i yma i . . . Des i yma er mwyn gweld y lle eto. Ro'n i yma amser maith yn ôl.'

Daeth hi â tharten afalau o'r oergell, ei thorri yn ei hanner, wedyn gwthio'r darnau tuag ata i a chymryd banana iddi ei hun.

'Wel, f'enw i yw Eleri, hyd yn oed os nad oes enw 'da ti. Ife dyna lle ti'n byw, yng Nghaerdydd?'

Dechreuais esbonio wrthi am Carwyn a'r deifio. Roedd ganddi ddiddordeb mawr. Dyna'r tro cyntaf i ferch gymryd diddordeb yn fy neifio i.

'Rwy'n gwneud Gymnasteg,' meddai hi. 'Rwy'n dwlu arno fe.'

Ro'n i ar fin dangos iddi sut o'n i'n sefyll ar gyfer deifio pan agorodd y drws a cherddodd y fenyw yn y ffrog las i mewn.

Edrychodd ar bopeth mewn eiliad: arna i wedi plygu drosodd ar gyfer trosben, ar Eleri hanner ffordd at wneud y *splits* ac ar y platiau gwag; ac fe wenodd, fel ro'n i'n gwybod y byddai hi, cyn gwasgu heibio i ni a dechrau rhoi'r siopa i gadw.

'Rhoist ti'r gore i chwilio am Grud yr Awel,' meddai hi a'i chefn tuag ata i.

'Mae e'n meddwl mai dyma'r un oedd e'n chwilio amdano,' dywedodd Eleri wrthi, a, thrwy ryw ryfedd wyrth, cododd yn ôl ar ei thraed o ganol y *splits* heb roi ei dwylo ar y llawr. Dwy ddim yn gwybod sut lwyddodd hi i wneud hynny. 'Ac mae e wedi bod 'ma o'r blaen, ond doedd e ddim yn gallu cofio'r enw, ac mae rhywun wedi dwgyd ei arian e, ac mae e ar ei ffordd i Gaerdydd, a Mam . . . gwrandwch ar hyn! Mae'n bencampwr deifio!'

'Rwy'n siŵr y gall e siarad drosto'i hunan,' meddai'r fenyw neis, mam fy mreuddwydion, gan wenu arna i ac arllwys te o'r tebot.

'Ac mae e wedi gorffen y . . .'

'Cer â'r 'paned yma i dy fam-gu, Eleri. Mae'n siŵr ei bod ar ddihun ac yn sychedu am un erbyn hyn. Beth yw dy enw di?' gofynnodd i mi, yn annisgwyl.

'Credwch fi neu beidio,' meddai Eleri, 'does dim un 'da fe.'

Ac roedd hi wedi mynd, gan fy ngadael mewn cynnwrf ac yn benbleth i gyd. Dyma fi, ar fy mhen fy hun gyda hi o'r diwedd. Dyma'r foment ro'n i wedi breuddwydio amdani gan miliwn o weithiau, a'r fenyw neis yn y ffrog las yn gwenu wrth aros i mi siarad, a'r unig beth y gallwn i feddwl amdano, yn tagu yng nghanol trobwll o feddyliau oedd: bod Eleri yn siŵr o fod yn chwaer i mi.

Eisteddais wrth y bwrdd, yn ceisio rhoi trefn ar fy meddyliau dryslyd.

'Wel?' Eisteddodd y fenyw yn y ffrog las gyferbyn â mi ar draws y bwrdd a dechreuodd bigo'r briwsion o'r darten afalau. 'Felly rwyt ti'n dipyn o ddirgelwch.'

'Sami ydw i.'

Doedd ei ddweud ddim yn anodd wedi'r cwbwl. Wnes i ddim dweud y cyfan yn un rhuthr. Doeddwn i ddim am roi sioc iddi. Dywedais y cyfan yn dawel ac yn ddifrifol, ac wedyn dywedais y cwbwl eto rhag ofn ei bod hi heb fy nghlywed. Ro'n i'n siŵr ei bod hi heb fy nghlywed i, gan ei bod hi'n eistedd yno'n gwenu arna i o hyd. A chan ei bod hi'n dal heb ymateb tynnais y nodyn gwerthfawr o'm poced a'i osod ar y bwrdd o'i blaen hi. Ac wedyn roedd yn rhaid i mi edrych bant gan fod popeth wedi mynd yn ormod yn sydyn. Roedd y tawelwch yn fy lladd i. Petai hi ond yn dweud rhywbeth.

Clywais hi'n llyncu. Cododd hi'r darn papur a'i droi yn ei llaw. Cododd ac aeth draw at y golau, a darllen y ddwy ochr. Yna, daeth hi'n ôl at y bwrdd. Roedd hyn i gyd fel petai'n cymryd oesau. Yn lle eistedd gyferbyn â mi tynnodd ei chadair draw i eistedd ar fy mhwys i. Gosododd ei braich ar gefn fy nghadair nes ei bod hi bron â 'nghyffwrdd i. Ro'n i'n hollol ymwybodol bod ei braich mor agos. Roedd hi bron â'm llosgi.

'Rwy'n credu 'mod i'n deall pam wyt ti yma,' meddai hi. 'Gest ti dy fabwysiadu?'

Nodiais fy mhen a chlirio'm llwnc.

'Sami. 'Drycha arna i.'

Trois fy mhen ychydig ond doeddwn i ddim yn gallu gorfodi'n hun i edrych arni, ddim eto. Roedd hi'n wawr o binc a glas y gallwn weld o gornel fy llygad dde.

'Dwy erioed wedi gweld y nodyn hwn o'r blaen,' meddai hi.

Roedd fy nyrnau'n brifo wrth eu hagor a'u cau. Roedd popeth yn brifo. 'Ond dyma'r bwthyn! Dyma lle ces i 'ngeni. Does dim un bwthyn arall yma gydag enw'n diweddu â "-wel" a does dim unman arall ym Mhowys sy'n "myrddin". Rhaid taw Maesmyrddin yw e. Ac mae'n rhaid taw Powys yw e achos . . . achos . . .'

Clywais hi'n chwerthin yn ysgafn. Edrychais arni wedyn gan feddwl ei bod yn chwerthin am fy mhen i. Tynnodd ei braich oddi ar gefn fy nghadair a churo'i dwylo.

'Paid, Sami! Rwy'n dy gredu di! Rwyt ti wedi bod yn dipyn o dditectif i ddod o hyd i'r lle yma. Rwy'n siŵr dy fod di'n iawn. Byddwn i'n hoffi medru dweud rhywbeth wrthyt ti am y nodyn ond alla i ddim.' Gwthiodd ei dwylo trwy ei gwallt, gan ei ddal yn ôl o'i hwyneb fel petai hynny'n ei helpu i feddwl yn well. 'Rhaid bod hyn i gyd wedi dy gynhyrfu di'n lân.'

Symudodd oddi wrthyf ac ro'n i'n falch. Teimlais fel petawn i wedi peidio ag anadlu tra ei bod hi'n eistedd yno. Ochneidiais a llacio fy nyrnau o'r diwedd. Gwnaeth hi dipyn o sŵn wrth lanw'r tegell a chael gafael mewn mygiau a phethau. Rhoddodd amser i mi anadlu eto, yn araf ac yn ddwfn.

'Wel, beth yw dy hanes di?' gofynnodd o'r diwedd, a chlywais yn ei llais fod ei hanadl hithau'n fyr. Dechreuais sôn am Mam a Dad, a'r blwch o ddillad babi, a'r amonit.

Wrth i mi adrodd fy stori agorodd Eleri'r drws ac amneidiodd ei mam arni i gadw'n dawel. Ro'n i'n eitha hoffi'r ffaith ei bod hi yno. Cyn iddi ddod i mewn roedd yr awyrgylch mor dynn roedd yn teimlo fel petai twnnel rhwng ei mam a mi, heb unrhyw oleuni i'w weld yn y naill ben na'r llall, a dim diwedd iddo. Pan ddaeth Eleri drwy'r drws a symud at y sinc ac yna at y bwrdd teimlais yr ystafell yn agor mas eto ac yn llenwi ag awyr a goleuni. Roedd y tyndra wedi diflannu.

Cododd Eleri'r amonit. 'Mae hwn yn hyfryd,' meddai. 'Mae'n f'atgoffa i o olwyn catrin.'

'Ges i fe gan fy mam,' dywedais i.

'Mae Sami'n ceisio dod o hyd i'r tŷ lle cafodd ei eni,' dywedodd ei mam wrthi, a diolchais yn dawel iddi am beidio â sôn am fy nghamgymeriad twp. Beth petawn i wedi dweud wrth Eleri yn gyntaf? Beth petawn i wedi dweud, 'Gyda llaw, rwyt ti'n chwaer i mi.' Beth yn y byd fyddai hi wedi meddwl ohonof i?

'Amonit yw e,' dywedais wrthi.

'Rwy'n gwbod. Rydyn ni wedi dysgu am ffosilau yn yr ysgol. Aethon ni i Sir Benfro, on'do fe Mam, i chwilio am ffosilau? Ddaethon ni ddim o hyd i'r un naddo?'

'Dododd fy mam e yn fy nghrud pan ges i 'ngeni.'

'Wir? Dyna anrheg hyfryd!'

'Wel, Sami,' torrodd mam Eleri ar ein traws. 'Mae'n dechrau nosi . . .'

'Rwy'n gwbod,' meddwn i. Codais a stwffio

nodyn Sami a'r amonit 'nôl i 'mhoced. 'Mae'n bryd i fi fynd nawr.'

'Nid dyna beth o'n i'n meddwl wir. Hynny yw, oes gyda ti rywle i fynd?'

'Ro'n i'n meddwl mynd 'nôl i'r hostel,' dywedais. 'Mae'n eitha rhad fan'na.'

'Mae'n filltiroedd i ffwrdd!' dywedodd Eleri.

'Tua wyth,' atebais. 'Dyw e ddim yn bell mewn gwirionedd.'

Cofiais wedyn fod y warden wedi dweud y byddai wedi cau. O, wel. Roedd y berth ar gael o hyd.

'Hoffet ti aros fan hyn?' Roedd hi mor neis, mam Eleri. Roedd hi'n wirioneddol neis.

'Os allwn i gael ychydig o le ar y llawr . . .'

'I dalu'n ôl rwy am i ti ffonio dy fam a dy dad i ddweud dy fod di yma.'

Fel arfer mae rhyw reswm cudd pan fydd oedolion yn neis wrthyf.

'Alla i ddim,' meddwn. 'Alla i ddim gwneud 'na.'

Siaradon ni mewn cylchoedd. Roedd mam Eleri yn awyddus iawn i roi gwybod i'm rhieni yn union lle roeddwn i rhag ofn eu bod nhw am gysylltu â mi. Doeddwn i ddim am iddyn nhw wybod rhag ofn y byddai hynny'n eu cynhyrfu nhw.

'Byddai'n well gen i ddweud wrthyn nhw'n iawn,' dywedais i. 'Nid dros y ffôn. Bydden nhw'n mo'yn gwbod popeth . . .'

Nodiodd ei phen. 'Wel, rwy'n deall hynny,

Sami. Ac mi fyddi di'n dweud oni fyddi di? Bydden nhw'n mo'yn dy helpu di pan wyt ti'n hŷn. Rwy'n siŵr fod 'na gymdeithasau ar gael i wneud hynny. Does dim rhaid i ti ddynwared Sherlock Holmes i wneud hynny.'

'Na,' meddwn i. Ro'n i'n teimlo'n fach ac yn dwp ac yn ddiflas. Ro'n i'n teimlo'n wych pan adewais i'r hostel ieuenctid y bore hwnnw, fel marchog ar gwest. Nawr ro'n i'n teimlo fel bachgen bach gwirion oedd yn methu â rhoi trefn ar ei feddwl ei hun.

'Pam na ffoni di dy hyfforddwr yng Nghaerdydd? Does dim rhaid i ti esbonio dim, dim ond rhoi'n rhif ni iddo fe,' awgrymodd Eleri.

'Bydd e'n grac ofnadwy 'da fi,' meddwn i. Gallwn ei ddychmygu e'n dweud dros y ffôn: 'Os wyt ti'n meddwl y gelli di wneud hebddo' i, was, galla i wneud hebot ti. Rwy'n nabod digon o blant sy'n aros i gymryd dy le di.'

Dywedodd mam Eleri ddim byd fel, 'Dylet ti fod wedi meddwl am hyn i gyd o'r blaen.' Roedd hi'n gall. Eisteddodd hi yn fy ngwylio i'n dawel ac yn gadael i mi feddwl dros y peth fy hun.

'Rwy'n cael y syniade 'ma weithie,' meddwn. 'Pan wy wir yn mo'yn gwneud rhywbeth mae'n llosgi tu fewn i fi hyd nes i fi wneud e.'

'Ac mae e wedi siarad â'i fam a'i dad yn barod heno,' ychwanegodd Eleri. Roedd hi'n fy nghefnogi i, bob cam o'r ffordd. Roedd hi fel petai'n deall popeth heb fod angen esbonio wrthi. 'Maen nhw'n gwbod ei fod e'n fyw.'

Yn y diwedd cytunodd ei mam y gallwn i aros y nos dim ond i mi addo mynd ymlaen i Gaerdydd drannoeth.

Mi wnes i addo. Ro'n i wedi cael digon. Ro'n i'n gwybod nad oedd dim gobaith 'da fi i ddod o hyd i fy mam, ddim y ffordd hyn. Roedd hi'n iawn. Byddai Mam a Dad yn gwybod sut. Bydden nhw ddim yn fy rhwystro i. Ro'n i wedi meddwl fy mod i wedi bod yn glyfar, ond ro'n i wedi bod yn dwp. Dyna'r peth ola feddyliais i wrth gwtsho yn fy sach gysgu ar eu soffa nhw, gyda'r tân go-iawn yn suddo'n llwch yn y grât.

Ond, erbyn bore trannoeth, roedd popeth wedi newid.

Pennod 14

Ar ôl brecwast fe ddigwyddodd rhywbeth rhyfedd, tra oedd Eleri a minnau'n golchi'r llestri. Aeth ei mam lan stâr â brecwast ar hambwrdd i'r fam-gu. Ro'n i i adael yn syth wedyn i fynd i'r sgwâr i ddal y bws.

'Licen i ddod gyda ti,' meddai Eleri. 'Mae pethe mor ddiflas 'ma. Does dim byd o gwbwl i'w wneud.'

'Licen i i ti ddod hefyd,' meddwn innau. Roedd y syniad o rannu taith hir ar fws gyda hi yn apelio'n fawr. Ro'n i wir yn ei hoffi hi. Byddwn wedi'i hoffi hi fel chwaer.

'Wnei di sgwennu ata i?' gofynnodd hi.

'Ocê,' meddwn.

Ysgrifennais fy nghyfeiriad mor daclus ag y gallwn iddi, ond roedd fy llaw yn crynu tipyn. Ro'n i'n gobeithio na fyddai hi'n sylwi. Dechreuodd hithau ysgrifennu ei chyfeiriad hi.

'Dwy ddim yn debygol o anghofio lle rwyt ti'n byw,' atgoffais hi.

Ond cododd hi ei phen ac edrych arna i mewn syndod. 'Ond dwy ddim yn byw 'ma,' meddai. 'Byddwn i'n mynd yn wallgo'n byw mewn pentre bach fel hwn. Mae Mam 'ma achos bod Mam-gu yn dost a des i dros hanner tymor i gadw cwmni iddi. Rŷn ni'n byw yng Nghaerdydd.'

'Beth yw enw dy fam-gu 'te?'

'Mair Gwilym.'

'Ga i weld dy fam-gu?' gofynnais. Dyma gliw arall i'w ddilyn cyn i mi adael. Ar ôl i mi siarad â hi gallwn ddweud wrthyf fy hun fy mod i wedi gwneud popeth oedd yn bosib i'w wneud.

Erbyn hyn roedd mam Eleri allan yn yr ardd, yn casglu'r post o'r blwch gwyrdd wrth y gât. Aeth Eleri â fi lan stâr. Ro'n i ar bigau'r drain eisie cwrdd â'i mam-gu, ond yn ofni gorfod siarad â hen wraig sâl yn ei gwely. Ro'n i'n falch o weld ei bod hi wedi codi a gwisgo ac yn eistedd wrth y ffenest, a ddim yn hen iawn o gwbl.

'Rwy'n gwylio'r adar,' meddai heb droi ei phen. 'Mae dau ditw tomos las yn nythu yn y blwch ar y goeden, ac rwy'n disgwyl gweld y cywion bach yn hedfan unrhyw ddydd nawr. Dwy ddim yn mynd i'w colli nhw dim ond achos fod Eleri wedi dod â'i sboner i 'ngweld i.'

'Mam-gu! Nid . . . !'

Chwarddodd ei mam-gu, a gadawodd Eleri y stafell, ac arni ormod o gywilydd hyd yn oed i edrych arna i. Doedd dim ots 'da fi. Roedd yn gamgymeriad hawdd i'w wneud. Cerddais yn syth at Mrs Gwilym ac eistedd yn y gadair ar ei phwys hi. Roedd ganddi wyneb caredig, gwelw, a gwallt oedd wedi colli'i liw yn hytrach na throi'n wyn. Roedd hi'n edrych yr un ffunud â mam Eleri. Mewn ffordd ryfedd roedd hi hefyd yn debyg i Eleri. Roedd ei llygaid yn rhyw las llaethog. Edrychodd yn gyflym i 'nghyfeiriad i ac yna edrych ar y goeden tu allan eto. 'Mae 'da ti lond pen o wallt pert, bach.'

Ro'n i wedi arfer â phobl yn dweud hyn wrthyf, mamau-cu yn enwedig. Doeddwn i byth yn gwybod sut i ymateb. Weithiau rwy'n dweud, 'Nag oes ddim.' Neu dro arall 'Diolch yn fawr. A chithe.' Neu hyd yn oed weithiau, 'A dweud y gwir cwmpodd y cwbwl allan pan o'n i'n dair oed a wig yw hwn,' gan ddibynnu â phwy rwy'n siarad. Fel arfer rwy'n anwybyddu'r peth neu'n cymryd arnaf 'mod i heb glywed. Ond y tro hwn roedd y sylw'n gliw pwysig iawn.

'Fi yw Sami.'

Trodd yn ei chadair i edrych arna i'n iawn. 'Sami, Sami, Sami,' sibrydodd, yn rhyw fath o lafarganu wrthi'i hun, fel petai hi'n chwilio drwy'i chof am rywbeth. Yna, rhoddodd ochenaid hir, araf, a phwysodd 'nôl, gan ysgwyd ei phen ychydig. 'Gest ti dy fabwysiadu, Sami?'

'Do,' meddwn i.

Roedd hi'n gwybod pwy o'n i. Roedd yn amlwg ar ei hwyneb, yn y ffordd roedd hi'n edrych arna i, y syndod a'r penbleth yno, a'r ffordd yr estynnodd ei llaw i gyffwrdd â 'ngwallt. Nodiais fy mhen. Doeddwn i ddim yn gwybod beth i feddwl nawr.

'Fy Sami bach i. Ar ôl yr holl flynyddoedd.'

Felly Mair Gwilym oedd yr un. Doedd hi ddim yn hen mewn gwirionedd, ddim fel Mam-gu Huws. Ond yn hen serch hynny, gyda gwallt llwydwyn a llygaid llaethog. Nid dyma oeddwn i wedi'i freuddwydio. Sut allai hi fod yn fam i mi?

'Druan â ti, Sami bach. Rhyfedd, ond ti'n gwbod, ro'n i'n meddwl amdanat ti y diwrnod o'r blaen. Rwy bob amser yn meddwl amdanat ti pan fydd hi'n ben blwydd ar Eleri. Rwy'n meddwl, beth mae e'n ei wneud nawr? Ble mae e? Ydy e'n iach? Ac yn fwy na dim, rwy'n meddwl, sut mae e'n edrych? Petawn i ond yn gallu'i weld e. Dyna beth rwy'n ddweud wrthyf i fy hun, dro ar ôl tro.'

Ro'n i'n teimlo'n lletchwith ofnadwy. Doeddwn i ddim yn gwybod beth i'w wneud â'm hun, y ffordd roedd hi'n syllu arna i, yn ysgwyd ei phen ac yn gwenu. Doeddwn i ddim am iddi fod fel hyn, yn hen ac yn sâl. Doeddwn i ddim yn gwybod beth i'w ddweud.

'Wyt ti'n hapus, Sami, gyda dy rieni maeth?'

'Ydw,' dywedais yn gyflym. Meddyliais am Mam—bob amser yn brysur a siriol, a Dad yn fawr ac yn swnllyd, a'i chwerthiniad parod a'i jôcs gwael. Teimlais yn euog a daeth ton o hiraeth amdanyn nhw drosof. Tybed a fyddwn i fyth yn gallu adrodd hanes y dyddiau diwethaf hyn wrthyn nhw.

'Rhaid eu bod nhw'n dy garu di'n fawr,' meddai hi. 'Pan fydd pobl eisie plentyn cymaint fel eu bod yn barod i fagu plentyn rhywun arall fel eu plentyn eu hunain mae'n golygu bod ganddyn nhw lawer o gariad i'w roi. Rwyt ti'n fachgen ffodus iawn.'

'Rwy'n gwbod,' meddwn i. Roedd fy ngwefusau'n sych ac yn glynu at ei gilydd. Codais, yn barod i adael. Doeddwn i ddim yn meddwl fod gen i unrhyw beth ar ôl i'w ddweud wrthi.

'A dy fam fach, druan,' aeth yr hen wraig ymlaen.

Arhosais wrth y drws. Roedd fy nghalon yn troi wyneb i waered yn fy mrest.

'Rhaid ei bod hi'n dy garu di hefyd, yn ei ffordd ei hun. Dyna pam rwyt ti wedi dod yma mae'n debyg, ontefe Sami? I gael gwbod rhywbeth amdani? Alla i ddim ond dweud sut y des i o hyd i ti. Fydd hynny'n help?'

Pennod 15

'Bore Chwefror oedd hi, ac yn oer ddifrifol,' dechreuodd Mair Gwilym. 'Y diwrnod cynt roedd hi'n las ac yn heulog ac yn edrych fel petai'r gwanwyn ar gyrraedd, er bod copa'r mynydd dan eira o hyd. Ond pan edryches i mas drwy'r ffenest y diwrnod arbennig hwnnw roedd yr awyr yn llwyd ac roedd storm o eirlaw. Bydd hi'n bwrw eira eto cyn bo hir, meddylies, a bydd y saffrwm a'r cennin Pedr sy'n dechrau ymagor yn diflannu i guddio'n ôl dan y pridd eto, yn glyd ac yn gynnes. Ond d'yn nhw ddim, ydyn nhw? Mae'n od sut maen nhw'n cadw i fynd.

'Roedd hyn tua phymtheng mlynedd yn ôl, gyda llaw. Tua blwyddyn ar ôl i mi golli 'ngŵr. Roedd Delyth yn byw dros y dŵr gyda'i gŵr ac roedd hi'n disgwyl Eleri. Byddwn i'n aros yn eiddgar am lythyr oddi wrthi bob dydd. Wrth i mi edrych drwy'r union ffenest hon fe weles i ferch yn dod lawr y llwybr. Roedd ci gyda hi. Ac roedd hi fel petai hi'n cario rhywbeth yn ei breichie. Thales i fawr o sylw ar y pryd. Rwy'n cofio meddwl nad oedd hi wedi gwisgo fel cerddwr, ond roedd ganddi got gynnes braf. Un ddu. Feddylies i ddim rhagor amdani. Ro'n i'n poeni am yr adar. Es i lawr y stâr a mynd ar hyd y llwybr i daflu ychydig o grystie bara a hade, a mynd 'nôl i'r tŷ yn gyflym allan o'r oerfel.

'Rhaid ei bod hi'n awr neu fwy cyn i mi fynd

mas eto. Ro'n i wedi penderfynu aros mewn y diwrnod hwnnw, gan fod digon gen i i'w wneud yn y tŷ heb gael 'yn chwythu a 'ngwlychu gan y gwynt a'r eirlaw. Ond wedyn cofies 'mod i heb edrych i weld a oedd post. Pan es i tu fas roedd yr eirlaw wedi troi'n eira. Roedd hi'n brydferth ofnadwy hyd y lle. Roedd y gwynt wedi gostwng, ac roedd plu mawr, meddal yn disgyn, ac roedd pob man yn berffaith lonydd. Es i lawr i'r blwch post a ges i sioc 'y mywyd! Yno, tu fewn, wedi'i lapio mewn sach, roedd babi newydd ei eni! Doeddwn i ddim yn gallu dweud a oedd e'n fyw neu'n farw!

'Codes y peth bach a'i fagu'n agos at 'y nghalon. Rhedes am y tŷ a'i gwtsho wrth y tân. Roedd e'n fyw!' Torrodd ei llais wedyn ac roedd rhaid iddi aros am ysbaid. 'Sami, Sami, roeddet ti'n fyw!'

Tan hynny doeddwn i ddim wedi sylweddoli ei bod hi'n sôn amdana i. Rwy'n cofio gollwng anadl yn sydyn, a dododd ei llaw dros fy llaw i fel petai hi'n meddwl 'mod i'n llefen.

'Lapies i ti mewn llieinie cynnes o'r cwpwrdd crasu a dechreuest ti grio. Des i o hyd i ddarn o bapur yn y cwdyn, lle roedd hi wedi sgriblo nodyn ar gefn amlen wedi'i rhwygo ar agor. "Edrychwch ar ôl Sami." A'r garreg, rhywbeth i ti gadw.'

Tynnais nhw o 'mhoced ac fe gymerodd hi nhw, gan nodio'i phen. Daliodd yr amonit yn dyner yng nghledr ei llaw.

'Meddylies am y ferch yn dod dros gopa'r

mynydd ac ro'n i'n gwbod mai hi oedd hi. Beth allai fod wedi'i gyrru hi i wneud shwd beth? Ofn, meddylies. Arswyd rhag ofn i'w rhieni ddod i wbod. Beth bynnag ddigwyddith, meddylies, rwy'n mynd i gadw'i chyfrinach. Bydd y plentyn yn iawn nawr. Dyna beth sy'n bwysig. Efallai 'mod i'n anghywir. Efallai y dylwn ni i gyd wynebu canlyniade'n gweithredoedd. Ond, ar y pryd, dyna beth benderfynes i.

'A hyn yw'r peth pwysig, Sami, a rhaid i ti beidio anghofio hyn byth. Fe wnaeth y ferch 'na beth wnaeth hi achos ei bod hi'n dy garu di. Galle hi fod wedi dy adael ar ochr y mynydd a bydde neb yn gwbod. Ond wnaeth hi ddim. Roedd hi'n ddewr iawn i wneud beth wnaeth hi. Peryglodd ei bywyd hi ei hunan er mwyn ei wneud e. Ac achubodd hi dy fywyd di.'

Daeth mam Eleri i mewn ac eistedd ar ein pwys ni. Mwythodd law Mair a chymryd yr amonit oddi wrthi. 'Ych chi wedi bod yn dweud ei hanes wrtho, Mam?'

Felly roedd hi'n gwybod trwy'r amser.

'Ydw. Ac mae'n fachgen dewr. Nid dyna beth oedd e am glywed am ei fam.'

Roedd hi'n iawn. Ro'n i wedi cael sioc ofnadwy ac ro'n i'n teimlo'n gymysglyd iawn. Trwy 'mreuddwydion i gyd doeddwn i ddim wedi dychmygu hyn. Pan ddaeth Eleri i mewn i'r stafell â hambwrdd o goffi i ni i gyd, ro'n i braidd yn gallu edrych arni. Gallai fy mam fod wedi bod mor ifanc â hi pan ges i 'ngeni. Roedd hi'n ferch oedd yn hoffi canu pop, efallai, hoffi mynd i gìgs, yn sgriblo enwau bechgyn ar gefn ei llyfrau ysgol. Roedd merch o'n dosbarth ni wedi cael babi tymor diwetha ac roedden ni i gyd yn ei galw hi'n 'slag'. Ai dyna beth fydden nhw wedi galw fy mam i? Dim rhyfedd nad oedd fy rhieni eisie dweud wrthyf i amdani. O leia ro'n nhw wedi fy arbed rhag y cywilydd yma.

'Ble fydd dy daith di'n dod i ben, Sami?' Daeth llais Mair Gwilym yn sydyn o ganol sŵn y cwpanau a'r llwyau ar yr hambwrdd. Sylweddolais fod Eleri a'i mam yn eu casglu eto: yfwyd y coffi ac ysgrifennwyd rhestr siopa, tra 'mod i'n eistedd yn fy nghwman yn fy nghadair gyda 'mhen i lawr. Tynnodd ei llais fi'n ôl o ryw ddyfroedd dyfnion.

'Taith?'

Aeth Eleri a'i mam yn dawel o'r stafell gan gau'r drws ar eu holau.

'I chwilio am dy fam. Fydd y Gymdeithas Fabwysiadu ddim yn gallu dweud dim wrthyt ti. Dy'n nhw ddim yn gwbod cymaint â fi. Oes 'na unrhyw beth arall wyt ti am i mi ddweud wrthyt ti nawr?'

Ro'n i'n meddwl am fy hunan bychan bach wedi 'ngadael mewn darn o sach. Gallwn i fod wedi marw. 'O'n i'n dost iawn pan ddaethoch chi o hyd i mi?'

'Yn wan iawn. Bron â llwgu, er fe synnet ti pa mor hir mae babanod yn gallu byw cyn cael eu bwydo am y tro cynta. Danfones am y fydwraig yn syth, wrth gwrs. Dyw hi ddim yn byw yn bell.

Daeth hi â photel a llaeth babi ac fe ges i dy fwydo di. O, ro'n i'n teimlo drosot ti, Sami! Wyt ti wedi gweld babi bach yn bwydo? Maen nhw'n gwbod sut i sugno o'r funud gynta! Mae'n hyfryd i'w weld. Dyw potel ddim cystal â'r peth go iawn, ond doedd gen i ddim o'r llall, wrth gwrs.'

Symudais yn anesmwyth yn 'y nghadair.

'Beth bynnag, roedd gen i stoc o ddillad babi, fel roedd hi'n digwydd. Roedd Delyth yn disgwyl Eleri ar y pryd, fel dywedes i, ac fel unrhyw fam-gu dda ro'n i wedi bod yn gwau ers misoedd! Roedd 'da fi wisg fach las oedd yn siwtio i'r dim. Wel roedd hi'n anferth arnat ti, ond roedd y lliw yn iawn! Ffonies yr heddlu wedyn a chwilion nhw'r pentre drwyddi draw am dy fam. Cadwes y gyfrinach. Yn y diwedd daethon nhw i'r casgliad bod rhywun wedi dod â ti yma mewn car a dy adael yma. Wnaeth e ddim eu taro nhw, yng nghanol yr eira 'na, y galle rhywun fod wedi dringo dros y mynydd gyda ti, ar hyd llwybr defaid! Roeddet ti'n wyrth, Sami!

'Ro'n i am dy gadw di gymaint. Byddwn i wedi dwlu dy gadw di. Ond ro'n i'n gwbod na allwn i roi cartref teilwng i fabi, ddim yn 'yn oedran i—yn union fel roedd y plentyn o ben draw'r mynydd-oedd yn gwbod na allai hithau. Gofales i amdanat ti am gwpwl o wythnose ac wedyn cest dy dros-glwyddo gan y gymdeithas fabwysiadu i'r bobl oedd yn eu seithfed nef wrth feddwl eu bod yn mynd i dy gael di. Dy fam a dy dad. Fe wisges i ti yn dy wisg las a dy roi di mewn crud gyda'r nodyn a'r garreg, ac ro'n i'n meddwl na welwn i fyth mohonot ti eto. Wir. Diolch am ddod 'nôl, Sami.'

'Mae'n iawn,' dywedais, yn ansicr. Roedd fy mhen yn brifo cymaint fel nad oeddwn i'n siŵr beth roeddwn yn ei ddweud mewn gwirionedd.

'Lawr y llwybr acw ddaeth hi. Wyt ti'n gallu'i weld e?'

Cyfeiriodd at lwybr troellog, igam-ogam oedd fel petai'n diflannu i fyny ochr y mynydd.

'Dyna Eingion y Diafol, lan yn fan 'na. Wyt ti'n gweld pa mor wastad yw hi ar y copa? Yn wastad fel eingion. Ac roedd dy fam yn byw draw yn fan 'co rywle.'

Ffarweliais â hi, a rhywsut mynd i lawr y stâr. Roedd fy mhen yn troi. Doeddwn i ddim yn gallu meddwl yn glir. Doeddwn i ddim hyd yn oed yn gallu gweld yn glir. Clywais Eleri a'i mam yn siarad tu fas ac es mas a sefyll yn eu hymyl nhw. Ro'n i'n hollol ddiymadferth. Doeddwn i ddim yn gallu gweld synnwyr mewn unrhyw beth.

'Mae'n bryd i ni adael am y sgwâr,' meddai mam Eleri. 'Gest ti wybod popeth oeddet ti'n mo'yn?'

'I raddau,' meddwn i. 'Ond ddim mewn gwirionedd.'

Safodd Eleri a minnau wrth y gât tra bod ei mam yn mo'yn y car o'r garej. Gwelais y blwch post ar y wal, y paent gwyrdd yn swigod i gyd ac yn pilo. Roedd e fel blwch adar. Codais y clawr. Prin fod digon o le i ddal babi newydd ei eni.

Caeais y clawr a sefyll i edrych lan at Eingion y Diafol. A'i gopa hir dan gwmwl.

Rhywle yr ochr arall roedd y tŷ lle ges i 'ngeni.

Ddim yn cofio cerdded 'nôl dros y copa.

Y cwbl rwy'n ei gofio yw rhywun yn rhoi breichiau twym amdana i ac yn sibrwd yn fy wyneb i wneud i fi agor fy llygaid.

Ro'n i'n gorwedd wrth y gât. Roedd Anwen yn plygu drosof.

Clywed y brain. Clywed Bob yn cwynfan, a'r defaid yn y caeau'n brefu.

Gafaelodd Anwen yn fy nwylo. Fy hebrwng i'r gegin. Dewi'n gwneud y tân. Pan welodd e fi gollyngodd y brigau a rhedodd mas, 'Dad, Dad mae hi 'ma! Mae Lisa ni 'nôl gartre!'

Dyna lle roedd Dad a'i sgidiau hoelion ar ei draed yn y tŷ yn gwgu arna i, yn grac wyllt 'da fi.

'Dad, gad hi! Nag ych chi'n gallu gweld ei bod hi'n dost!'

Mae eisie cwsg arna i. Rwy'n mo'yn cysgu.

Dyna'n llais i, yn crio fel plentyn. Oer, oer, yn brifo'n ddwfn tu fewn.

Tries i fynd lan stâr, ond gafaelodd Anwen ynof.

Llais Dad yn adleisio o 'nghwmpas i'n holi a holi.

Dim ond eisie cysgu, yn y fan a'r lle ar y mat o flaen y tân. Gadewch i mi gysgu.

'Rwy'n gwbod ble mae hi wedi bod.' Dyna Anwen, yn addfwyn ac yn garedig, ei gwallt yn cyffwrdd â'm hwyneb wrth iddi blygu drosof, yn fy nghodi a'm 'mwytho.

'Mae hi wedi bod 'da Mam, Peidiwch â'i 'nafu hi.
Mae hi wedi bod gyda Mam drwy'r nos.'

'Barod?' galwodd mam Eleri. Agorodd hi ddrws
y car, ac wedyn, pan welodd nad oeddwn yn
symud, daeth hi mas a dod draw ata i i godi 'mag
chwaraeon.

'Dwy ddim yn meddwl ei fod e, Mam.' Daeth
llais Eleri o bell. Yn sydyn roedd popeth yn
gwneud synnwyr. Dywedais wrthyn nhw beth
oedd Mair Gwilym wedi'i ddweud wrthyf i.

'Alla i ddim,' meddwn i'n ddiymadferth. 'Alla i
ddim mynd yn y car ac wedyn y bws a mynd yr
holl ffordd i Gaerdydd . . .'

'. . . heb weld beth sydd yr ochr draw i Eingion
y Diafol.' Gorffennodd Eleri'r frawddeg i mi, gan
ddilyn y llwybr roeddwn i'n syllu arno.

Ochneidiodd mam Eleri a gosod y bag chwaraeon
ar y llawr.

'Dwy ddim wedi cyrraedd diwedd 'y nhaith.'
Roeddwn i'n dyfynnu Mair Gwilym ac roedd e'n
swnio braidd yn wyllt a rhamantaidd yn dod oddi
wrthyf i.

'Mae e wedi dod yr holl ffordd yma, Mam,'
plediodd Eleri. 'Ar ei ben ei hun. All e ddim mynd
i ffwrdd nawr a rhoi'r gore iddi.'

'Nag yw dy ddeifio di'n bwysicach ar hyn o
bryd, Sami?' gofynnodd ei mam. 'Mae 'da ti
gystadleuaeth ar y penwythnos. Dyw Eingion y
Diafol ddim yn mynd i ddiflannu dros nos. Gelli

113

di ddod 'nôl unrhyw bryd. Gyda dy fam a dy dad. Onid dyna fyddai orau?'

Ond nid dyna'r ffordd yr o'n i am wneud pethau. Roedd hi'n gallu gweld hynny mewn gwirionedd. Ro'n i'n dyheu am ei wneud e nawr, yn fy ffordd fy hun. Ro'n i am ddilyn y daith roedd fy mam wedi'i dilyn bymtheng mlynedd yn ôl, ar hyd llwybr y defaid, lan dros gopa'r mynydd.

Y peth amdanaf i yw unwaith rwy wir yn mo'yn rhywbeth, wnewch chi ddim fy symud i. Mae'n debyg mai dyna beth sy'n creu'r math o berson sy'n medru treulio tair awr y noson yn deifio oddi ar slab o goncrit er mwyn cael un ddeif yn iawn.

Rhoddodd mam Eleri y car i gadw ac aethon ni 'nôl i'r tŷ. Roedd hi am i mi gael cinio'n gyntaf. Ro'n i'n gymaint o fwrlwm o gyffro ro'n i braidd yn gallu bwyta, ond fe fues i'n ufudd. Ro'n i'n cael fy ffordd fy hun wedi'r cwbl.

'Mae gen i gywilydd dweud ond dwy erioed wedi bod yno'n hun,' cyffesodd. 'Rwy wedi bod i'r copa gyda 'ngŵr ac rŷn ni wedi cerdded ar hyd y crib, ond dwy ddim erioed wedi bod lawr yr ochr arall. Cofia, gallen ni dy yrru di o gwmpas. Mae hi tua ugain milltir ar hyd yr hewl a rhaid bod mynediad i'r cwm o'r pen arall . . .'

Siglais fy mhen. Os oedd fy mam wedi cerdded ar hyd y ffordd yna dyna'r ffordd ro'n i am fynd. Doedd dim pwrpas fel arall.

'Mae'n ffordd bell, Sami, ac yn eitha caled. Rwy'n amau a lwyddi di i fynd yno ac yn ôl cyn nos. Dim os wyt ti am weld y cwm yn iawn. Os oes rhaid i ti fynd, beth am aros yma am heno a dechre'n gynnar iawn fory?'

Ond wnele hynny ddim o'r tro. Ro'n i'n benderfynol o fynd yn syth. Eleri wnaeth ddatrys y broblem. Aeth i chwilio yn y cwtsh dan stâr a daeth hi'n ôl â phabell fach wedi'i phlygu.

'Fydd hi fawr o werth os bydd hi'n bwrw'n drwm, ond roedd Dafydd a minne'n gwersylla ynddi yng ngardd Mam-gu erstalwm.'

'Pwy yw Dafydd?' gofynnais, yn synnu'n hun gyda'r fflach sydyn o genfigen. Gwridodd Eleri.

''Mrawd i, wrth gwrs.'

Roedd yn hollol anhygoel fel roedd hi'n deall popeth ro'n i'n ei feddwl.

Stwffiodd ei mam gacen ffrwythau, afalau a brechdanau yn fy mag. Allwn i ddim fod wedi gwneud hyn hebddyn nhw. Petawn i wedi aros tan fy mod i'n hŷn gallwn fod wedi ei wneud heb gymorth unrhyw un. Ond weithiau mae pethau'n llosgi mor ffyrnig y tu fewn i chi fel na all unrhyw beth eu diffodd.

'Nawr,' meddai hi, pan oedd fy mag yn llawn ac yn barod wrth y drws. 'Mae un peth arall i'w wneud cyn i ti fynd. Ffonia dy rieni.' Safodd hi yno, yn gadarn, ei breichiau wedi'u plethu, gyda'r olwg set 'na ar ei hwyneb sydd gan oedolion pan fyddan nhw'n gwybod eu bod nhw'n iawn a dy'n nhw ddim yn fodlon dadlau 'da chi. 'Sdim ots 'da fi beth wyt ti'n dweud wrthyn nhw, Sami. Dy fusnes di yw hynny. Ond rwy'n benderfynol dy

115

fod di'n mynd i roi gwbod iddyn nhw ble yn y byd wyt ti ac â phwy y gallan nhw gysylltu os bydd angen iddyn nhw gael gafael ynot ti. Iawn?'

Edrychodd Eleri arna i gyda chydymdeimlad ac aeth hi a'i mam o'r stafell fel fy mod yn medru gwneud yr alwad yn breifat. Dyma'r peth ola ro'n i am wneud. Ffoniais y gwesty a dwedwyd wrthyf eu bod nhw mas.

'Wnewch chi ddweud wrthyn nhw 'mod i wedi ffonio i ddweud helô, plîs,' gofynnais i'r ferch yn y dderbynfa. 'Ac mae popeth yn iawn.' Gosodais y derbynnydd yn ôl yn ei gawell a'i dapio â 'mysedd, gan geisio penderfynu beth i'w wneud nesaf. 'D'on i ddim yn gallu meddwl am y neges iawn i adael iddyn nhw,' dywedais wrth y drws, gan wybod y byddai mam Eleri yr ochr draw, yn cymryd arni ei bod hi'n brysur yn codi llwch neu rywbeth.

'Y dyn yng Nghaerdydd,' galwodd 'nôl.

'Mam . . . !' clywais Eleri'n protestio.

Ro'n i'n arswydo rhag gwneud yr alwad honno hyd yn oed yn fwy na ffonio Mam a Dad. Ffoniais y rhif fel bachgen da, gyda 'nghalon i rywle o gwmpas fy migyrnau, gan weddïo fod Carwyn mas. Doedd e ddim.

'Ble yffach wyt ti?' gwaeddodd cyn gynted ag y clywodd fy llais. 'Fan hyn yn cael hyfforddiant gyda fi rwyt ti fod!'

'Mae'n ddrwg 'da fi, Carwyn, rwy'n . . .'

'A phaid â thrio 'nhwyllo i dy fod ti gyda Meilyr

achos rwy'n gwbod nad wyt ti. Ffonies i ei dad e neithiwr.'

'Rwy'n aros gyda ffrindie,' meddwn i. 'Mae'n bwysig iawn, Carwyn.'

'Mae dy ddeifio di'n bwysig—neu mae e i fi. Roedd e i fi. Roedd e'n arfer bod. Dim rhagor, was. Dim ond unwaith mae pobl yn fy siomi i. Dwy ddim yn gallu gwastraffu amser ar blant fel ti sy'n hido dim o'r dam. Mae digon o ble dest ti. Plant fydd yn falch o'r cyfle.'

Roedd rhaid i mi ddal y ffôn bant o 'nghlust. Ro'n i'n gwybod faint roedd e wedi cael ei frifo. Ro'n i'n deall pam oedd e'n grac. Meddyliais i am ei lythyr ata i. Roedd hwnnw'n arfer bod y peth mwyaf gwerthfawr oedd gen i. Pan lwyddais i wneud iddo wrando rhois i rif ffôn Brodawel iddo fe a rhoi'r derbynnydd i lawr. Doedd dim pwynt trio dweud unrhyw beth arall. Doedd e ddim am glywed.

Felly ro'n i'n dawel iawn pan gychwynnais ar fy nhaith yn hwyrach y prynhawn hwnnw gyda 'mag chwaraeon yn cynnwys pabell ac afalau a brechdanau. Daeth Eleri gyda fi am yr hanner awr cyntaf. Roedd hi'n methu â chael gair o 'mhen i. Rwy'n credu ei bod hi'n eitha balch pan gyrhaeddon ni'r rhaeadr lle roedd hi wedi addo i'w mam y byddai hi'n troi'n ôl. Roedd y ffordd yn serth ac roedden ni'n boeth ac yn sychedig erbyn i ni gyrraedd. Gwnaeth Eleri gwpan o'i dwylo ac yfed o'r rhaeadr, a rhois innau fy mhen yn syth

117

oddi tani. Roedd yn anhygoel o oer a chlir. Cipiodd fy anadl. Chwarddodd Eleri a throis i edrych arni. Roedd ei gwallt yn wlyb ac yn glynu wrth ei hwyneb ac am eiliad meddyliais am Siwan o'n dosbarth ni, a'r ffordd roedd hi'n edrych noson y ffair. Ro'n i'n gwybod fod yn well gen i Eleri o lawer.

Ac roedd hi'n fy neall i. Roedd hi'n mynd i ganol fy meddyliau ac yn fy nabod i. Roedd yn rhyfedd. Beth wnaeth hi wedyn, tra 'mod i'n edrych arni hi ac yn meddwl llawer ac yn dweud dim, oedd dodi ei breichiau ar fy ysgwyddau i a 'nghofleidio i. Roedd e'n gyffyrddiad sydyn a swil. Roedd fy mhen i'n troi. Gwthiodd ei gwallt o'i hwyneb a throi i ffwrdd, yr un mor swil â fi.

'Wela i di 'fory, Sami. Pob lwc!'

Ac roedd hi wedi mynd, yn hedfan i lawr y llwybr fel petai haid o wenyn ar ei hôl hi. Throdd hi ddim unwaith, ond gwyliais hi nes bod y llwybr wedi troelli i ffwrdd oddi wrthyf a hithau wedi diflannu o'r golwg. Ro'n i'n methu â chredu 'mod i wedi ei nabod hi am lai na phedair awr ar hugain.

Trois yn ôl ac edrych ar y ffordd yr oedd y llwybr yn nadreddu lan a lan y llethr serth. Ro'n i ar fy mhen fy hun. Yn llwyr.

Doeddwn erioed wedi dringo mynydd o'r blaen. Dwy ddim yn siŵr pryd mae bryn yn fynydd ond roedd e'n ymddangos yn eitha uchel i mi. Ro'n i'n colli 'ngwynt bob hyn a hyn ac yn gorfod aros ac edrych yn ôl. Pan o'n i'n uchel iawn ges i cip

118

ar fwthyn Mair Gwilym a thu ôl iddo roedd Maesmyrddin i gyd. Ro'n i'n gallu gweld lle roedd yr hewl yn troi'n ôl a lle roedd hi'n cwrdd â'r lôn oedd yn dod o'r hostel ieuenctid. Rhywle rhwng y ddwy roedd y goeden lle ro'n i wedi ceisio cysgodi rhag y glaw. Ro'n i'n teimlo fy mod i wedi dechrau bywyd newydd ers imi gychwyn. Yma, Sami oeddwn i.

Tybed beth oedd Eleri yn ei wneud, ac a oedd hi'n meddwl amdana i o gwbl. Efallai ei bod hi'n helpu ei mam i baratoi'r te, neu'n eistedd yn stafell Mair Gwilym yn cymryd arni ei bod hi'n siarad â hi ac yn edrych mas ar y llwybr wrth drio cael cip arna i. Ro'n i'n gobeithio ei bod hi'n gwneud hynny. Codais fy llaw, a theimlo'n dwp. Beth os oedd hi'n fy ngwylio trwy bâr o finociwlars? Cymerais arna i 'mod i'n ceisio lladd clêr, ac wedyn achos 'mod i'n teimlo'n dwpach fyth, dodais fy mag chwaraeon i lawr a gwneud trosben. Rhedodd dafad o'm ffordd mewn ofn. Ro'n i'n teimlo'n grêt.

Roedd yr awyr fel petai wedi'i llenwi'n llwyr â chân rhyw aderyn na allwn ei weld, gan ei fod e mor uchel i fyny. Roedd y gân fel petai'n ffrwydro o lawenydd, yn llanw pob twll a chornel. Doeddwn i ddim yn gallu clywed unrhyw beth ond sŵn yr aderyn bychan 'na. Ro'n i'n teimlo awydd canu fy hunan. Ro'n i'n teimlo'n hapus am y tro cyntaf ers noson y ffair. Ro'n i'n gwybod 'mod i'n gwneud y peth iawn. Codais fy mag a rhedeg i gopa Eingion y Diafol.

Pennod 16

Ond nid y copa oedd e. Pob tro ro'n i'n meddwl 'mod i wedi cyrraedd y pen byddai'n rholio i ffwrdd o 'mlaen i. Distawodd cân yr aderyn bychan yn raddol. Roedd creigiau ar draws y llwybr, ac ro'n i'n baglu ac yn colli 'nghydbwysedd o hyd. Byddai adar mawr, rhai lletchwith a brown, yn codi'n sydyn o'r ddaear o 'mlaen i gan fy nychryn â'u lleisiau cras. Oni bai amdanyn nhw byddai'r lle'n codi arswyd arna i. Dwy erioed wedi dod ar draws shwd dawelwch.

Erbyn i mi gyrraedd y gwir gopa ro'n i bron yn rhy flinedig i gerdded. Dwy ddim wedi teimlo mor unig yn fy myw. Roedd e'n rhy uchel hyd yn oed i'r defaid. Doeddwn i ddim yn gallu clywed dim, ond roedd y tawelwch fel pwysau tu mewn i mi. Ro'n i am redeg 'nôl i dŷ Eleri. Sefais ar gopa'r mynydd gyda'r dydd yn troi'n llwyd ac yn oer o 'nghwmpas i, yn gorfodi'n hun i fynd ymlaen. Allwn i ddim aros yno drwy'r nos, roedd hynny'n sicr, nid yng nghanol yr anialwch 'na o greigiau. Caeais fy llygaid a meddwl am strydoedd diogel, cyfarwydd fy nghartref—y lampau stryd oren, goleuadau'r tai a'r sgriniau teledu gloyw ym mhob ystafell, y gerddi taclus, a si cyson y ceir.

O lle ro'n i'n sefyll gallwn weld y ddau gwm. Roedd un Eleri yn dal yn heulog. Roedd fy un i mewn cysgod. Roedd hi'n edrych yn dywyll ac yn oer lawr fan'na. Erbyn i mi gyrraedd y gwaelod, byddwn i'n cerdded mewn tywyllwch. Roedd e fel dyffryn cudd, yn gyfrinach.

Wrth i mi gerdded, allwn i ddim stopio ceisio dychmygu fy mam yn dod o'r ochr arall yn yr oerfel a'r tywyllwch. Oedd ofn arni tybed? Tybed pam oedd yn rhaid iddi wneud y fath beth yn y lle cyntaf?

Wel dyna pam roeddwn i wedi dod yma. Doedd dim troi'n ôl nawr. Felly bant â fi i lawr i'r cwm cudd, a dyna ail gamp fawr fy mywyd.

Ro'n i'n gwybod y byddai rhaid i'r babi fod yn gyfrinach.

Yr haf cyn i Mam farw ro'n i'n gwybod y byddai'n rhaid i'r bachgen gwyllt fod yn gyfrinach.

Roedden ni'n cwrdd yn aml ac yn chwerthin gyda'n gilydd. Roedd e'n fy ngalw'n frenhines iddo ac yn dweud y byddai e'n marchogaeth gyda fi allan o'r cwm. Cedwais y cyfan yn gyfrinach.

Ond dywedodd Anwen wrth Mam.

'Mae Lisa ni'n siarad ag un o'r bechgyn gwyllt yng nghae Wncwl Eryl,' dywedodd hi wrth Mam yn llawn hwyl.

Ceisiais ddal ei sylw hi tu ôl i gefn Mam. Dim busnes i Anwen. Fy nghyfrinach i.

'Mae'n wir. Rwy wedi'i gweld hi.'

Wyneb Mam yn galed ac yn grac. 'Na, dwyt ti ddim, Lisa Jones. O nag wyt ti ddim.'

'Mae'n wir, Mam,' meddwn gan chwerthin. 'Mae e'n neis.'

'Dyw e ddim yn neis,' meddai Mam, ac roedd hi'n

taro'r llestri ar y bwrdd fel drymiau. Cododd hi 'bach o ofn arna i bryd hynny, do wir. Gwnaeth i Huw lefen, a deffrodd Gethin yn ei grud. 'Maen nhw'n ddrwg, Lisa. Ac mae unrhyw un sy'n siarad â nhw'n ddrwg.'

'Drwg, drwg, drwg,' meddai Huw ar ei hôl hi fel petai'n canu'r gytgan, gan guro'i ddwylo. Roedd e'n dal i lefen ychydig. Cododd Mam e dros ei bola-babi mawr a'i gusanu fe. Roedd Mam yn dwlu ar fabanod.

Roedd y llwybr i'r cwm cudd yn serth a charegog —roedd e'n ymddangos fel gwely afon oedd wedi sychu. Roedd yn rhaid i mi roi 'mreichiau drwy ddolenni 'mag a'i gario fel sgrepan er mwyn cael fy nwylo'n rhydd. Wedyn roedd yn rhaid i mi ddringo i lawr wysg fy nghefn, gan gydio yn y grug a'r prysgwydd pigog wrth ochr y llwybr wrth i 'nhraed lithro oddi tanaf. Ro'n i'n arswydo rhag colli 'ngafael a hedfan i lawr ochr y cwm mewn afalans o greigiau. 'Cer 'nôl! Cer 'nôl! Cer 'nôl!' oedd neges crawcian yr adar, a byddwn wedi hefyd, ond roedd meddwl am fynd 'nôl yn waeth o lawer na meddwl am fynd ymlaen.

Pan lwyddais i ymddiried ynof fy hun i droi a sefyll yn iawn gallwn weld y llwybr y dylwn fod wedi ei ddilyn yn nadreddu i ffwrdd i'r chwith. Es ar hyd gwely'r nant sych nes ymuno â nant go-iawn, ac yfed ychydig o'r dŵr gan gofio Eleri'n yfed o'r rhaeadr. Ro'n i'n gweld ei heisie hi'n barod. Sut allwn i weld ei heisie hi pan o'n i ond newydd gwrdd â hi? Es trwy restr o bobl o'r ysgol ro'n i'n eitha hoff ohonyn nhw a sylweddoli nad o'n i'n gweld eisie yr un ohonyn nhw.

Bwytais beth o'm bwyd a phenderfynu ei fod e'n lle da i osod y babell. Doedd dim syniad 'da fi faint o'r gloch oedd hi gan fy mod i wedi gadael fy wats yn yr ystafell ymolchi yn nhŷ Eleri.

Beth bynnag, ro'n i wedi cael digon o fustachu o gwmpas am un dydd. Ro'n i wedi blino'n lân. Byddai hon yn stori dda i Gruff. Gwersylla ar lan afon mas yn y diffeithwch. Mae'n siŵr mai dyna'r math o beth byddai e'n ei wneud bob penwythnos.

Dadbaciais y babell a chymryd tua miliwn o flynyddoedd yn ceisio dyfalu sut i'w gosod yn iawn. Roedd y gwybed yn dod mas ac yn dechrau ymosod arna i fel petaen nhw newydd ddarganfod pot jam, yn heidio o 'nghwmpas i mewn byddinoedd, yn rhwygo darnau ohonof fi ac yn tynnu gwaed. O'r diwedd rhois i'r gorau i geisio'u cadw draw a chropian i mewn i'r babell, cau'r sip, a chuddio tu fewn i'm sach gysgu.

Roedd yn rhyfedd gorwedd mewn pabell yng nghanol yr anialwch gyda'r awyr yn olau o hyd. O 'nghwmpas i roedd y defaid yn brefu fel petaen nhw mas yn canu carolau ac wedi anghofio'r tonau.

Ond ro'n i wedi blino'n lân, yn falch o gael gorwedd. Roedd fy nhraed yn brifo a'm pen yn curo hefyd. Ro'n i'n dal i fynd dros y pethau roedd Mair Gwilym wedi'u dweud. Doedd dim synnwyr ynddyn nhw mwyach. Bore 'ma pan o'n i'n eistedd yn ei stafell heulog yn gwrando ar yr hanes ac yn edrych i fyny at Eingion y Diafol roedd hi'n ymddangos fel gorchest ramantus i ddringo dros gopa'r mynydd i'r cwm nesaf. Roedd fel darn o un o chwedlau'r Brenin Arthur. Ond roedd hynny wedi newid bellach. Doeddwn i ddim yn gallu dychmygu'r ferch ifanc gyda'i bwndel a'i chi. Doeddwn i ddim yn credu y gallai hi wneud beth o'n i newydd ei wneud, ac yn y gaeaf hefyd, ac yn syth ar ôl i mi gael fy ngeni. Doeddwn i ddim yn credu dim ohono fe.

Ond roedd gen i'r amonit. Dyna'i hanrheg hi i mi. Roedd hwn yn ddigon real. Tynnais ef allan o 'mhoced, lle roedd e'n gwasgu ar fy nghoes, a gorwedd gyda fe yn fy nwylo dan fy ngên. Ro'n i'n teimlo'n gythryblus am bob peth ac yn teimlo'n unig. Ro'n i'n mo'yn Mam. Byddai hi wedi gwneud diod boeth i mi a chael gafael mewn rhywbeth i wella cnoadau'r gwybed.

Ro'n i'n mo'yn Eleri hefyd. Ro'n i'n mo'yn siarad â hi a chwerthin. Hoffwn petai hi ddim yn byw mor bell. Caerdydd! Biti na fyddai merched fel Eleri yn fy ysgol i. Biti na fyddai Eleri'n mynd yno. Rhaid 'mod i wedi cwympo i gysgu yn meddwl am hynny achos pan glywais rhywun yn agor y babell ro'n i'n meddwl am un eiliad gwallgo' mai Eleri oedd yno. Roedd menyw'n siarad â fi mewn llais cas, crac nad oedd yn perthyn i freuddwyd. Des ataf fy hun a sylweddoli ei bod hi'n gofyn i mi beth yn y byd o'n i'n gwneud yno. Agorodd hi ddrws y babell led y pen ac edrych i mewn arna i. Gwasgodd ci defaid heibio iddi a dechrau crafangu ar hyd fy sach gysgu fel petai e'n meddwl mai dafad oedd yno.

'Peidiwch â'u gadael nhw i mewn, plîs,' erfyniais arni.

'Pwy? Oes rhagor ohonoch chi?'

'Y gwybed. Rwy'n trio cadw nhw bant.'

Chwibanodd y fenyw rhwng ei dannedd a chripiodd y ci allan ar ei fola, yn amlwg yn siomedig nad oedd hi wedi caniatáu iddo fynd amdana i.

'Mae'n edrych i mi fel petait ti'n trio gwersylla yma,' meddai hi. 'Wyt ti?'

Cyn i mi gael cyfle i ateb dechreuodd dynnu'r pegiau mas. Cwympodd y babell yn llipa o 'nghwmpas i a rhuthrodd y gwybed i mewn.

'Dwyt ti ddim yn cael. Mae maes gwersylla lawr fan'na, nesa at y fferm, gyda'r cyfleusterau iawn. Dyna lle ddylet ti fynd.'

'Doeddwn i ddim yn gwbod,' meddwn i.

'Gallwn ni ddim gadael i bobl godi pebyll ble bynnag maen nhw'n mo'yn. Fydde dy rieni di'n mo'yn pobol yn codi pebyll yn eu gardd nhw? Lle gwaith yw hwn, nid gwersyll gwylie . . .'

Aeth hi 'mlaen a 'mlaen tra 'mod i'n crafangu mas o'm sach gysgu ac yn rhoi'r babell i gadw. Ceisiodd y ci fynd i mewn gyda'r babell. Wnaeth hi ddim i'w rwystro, dim ond sefyll ac edrych tra ei fod e dan draed a minnau'n gollwng pethau. Safodd yn fan'na wrth i mi hercian 'mlaen a doeddwn i ddim ond wedi mynd ychydig o lathenni ar hyd y llwybr pan gofiais am yr amonit.

125

Ro'n i'n cofio 'mod i'n ei ddal wrth i mi gwympo i gysgu a doeddwn i ddim yn cofio'i ailbacio. Doedd e ddim yn fy mhocedi. Meddyliais am fynd 'nôl y bore wedyn ond ro'n i'n gwybod na allwn i fyth ddod o hyd iddo fe. Felly rhaid oedd troi rownd a mynd 'nôl.

'Beth nawr?' gofynnodd hi. 'Angen cwmpawd i fynd lawr y bryn?'

'Rwy wedi colli rhywbeth,' atebais.

Roedd hi bron â thywyllu. Ymbalfalais ar fy ngliniau, yn troi cerrig mân drosodd ac yn chwilio rhyngddynt, gyda'r ci yn sniffian o gwmpas fy mysedd. Plygodd y fenyw, gan ddangos diddordeb.

'Beth wyt ti wedi'i golli? Arian? Dy wats?'

Atebais mohoni hi. Ro'n i'n dechrau anobeithio.

'Shwt beth yw e?'

Dyna fe, o'r diwedd. Gafaelais ynddo ac estynnodd hithau ei llaw i'w weld. Gwthiais e i 'mhoced.

'Carreg,' meddai hi. 'Rwy'n gweld. Wel, o leia gallwn ni fynd, nawr dy fod ti wedi dod o hyd i dy garreg.'

Dilynodd hi fi'r holl ffordd lawr i'r fferm. Roedd fy mag yn bwrw yn erbyn fy nghoesau am ei bod hi'n ormod o drafferth i'w gario'n iawn. Ro'n i am iddi hi sylweddoli pa mor flinedig o'n i, mae'n debyg. Roedd ystlumod yn hyrddio'u hunain o gwmpas fy mhen fel taflegrau. Byddwn wedi rhoi'r byd am gael bod gartref.

Arhosodd y fenyw wrth i ni ddod at y gât oedd yn arwain at adeiladau'r fferm a chyfeiriodd at y maes gwersylla. Roedd ychydig o bebyll yno yn loyw yn y tywyllwch. Ro'n i'n gallu clywed lleisiau'n sisial. Efallai na fyddai mor unig yma ag yr oedd hi ar ochr y bryn, meddyliais.

'Tai bach a stafelloedd ymolchi draw tu ôl i'r coed. Fe gasgla i dy arian di yn y bore.'

A bant â hi cyn i mi gael cyfle i ofyn iddi faint fyddai'n gostio. Doeddwn i ddim yn gwybod a allwn i ei fforddio hyd yn oed.

'A phaid di â mynd yno eto,' siarsiodd Anwen.

Ond fe es. Roedd y bachgen gwyllt yn fy ngwneud yn hapus. Yn dweud mai fi oedd ei frenhines e. Yn dweud y byddwn ni'n byw yn ei garafán ac yn mynd gyda'r bobl wyllt.

'Mynd i ble?' gofynnais innau.

'I bob man, cariad. Pob math o lefydd, llefydd nad wyt ti wedi hyd yn oed breuddwydio amdanyn nhw. Ffeirie ceffyle. Byddet ti'n hoffi rheini. Bydden ni'n mynd trwy ddinasoedd mawrion, a phentrefi, a lawr i'r môr, ac weithie dros y môr. Pobman.'

'A fydden ni byth yn dod adre?' Sut gallwn i anadlu heb y mynyddoedd o 'nghwmpas i, a'r caeau a'r corsydd? 'Byddwn i'n marw.'

'Dere, 'nghariad. A fyddwn i'n gadael i ti farw?'

Dihunais i glywed sŵn y glaw. Pan edrychais mas roedd y bryniau wedi diflannu i ganol y niwl. Cripiais yn ôl i'm sach gysgu a bwyta mwy o'r bwyd roedd mam Eleri wedi'i roi i mi. Wedyn sylweddolais fod y babell yn gollwng a'r glaw yn dod i mewn. Paciais y cwbl at ei gilydd—gorchwyl hynod ddiflas yn y glaw. Roedd y babell ddwywaith y maint oedd hi cynt a doedd hi ddim yn ffitio'r bag, doedd ots faint o'n i'n curo ac yn gwasgu. Ro'n i am adael yn llechwraidd cyn i wraig y fferm gyrraedd i gasglu'r arian ond ro'n i'n rhy hwyr. Daeth hi ar draws y cae gyda'r llaid yn sugno'i sgidiau glaw a'r ci yn rhuthro'n hapus at y brain y tu ôl iddi hi. Siaradodd â'r ci unwaith a llusgodd hwnnw ei hun draw ati a chyrcydu y tu ôl iddi. Mae'n rhaid ei fod yn deimlad gwych i feddu'r fath rym.

Roedd hi ychydig yn llai blin wedi i mi dalu.

'Ar dy wylie wyt ti?' gofynnodd i mi.

Dyma'r lle ola yn y byd byddwn i'n mo'yn treulio 'ngwyliau. Roedd y buarth yn gwynto'n waeth na thai bach yr ysgol ac roedd ei maes pebyll hi fel y cae chwarae ar ôl gêm bêl-droed ym mis Ionawr.

'Na,' meddwn i. 'Ro'n i am ddod i weld y lle 'ma, dyna i gyd, ond rwy'n mynd adre nawr. Sdim arian ar ôl 'da fi beth bynnag.'

Ro'n i'n gobeithio y byddai hi'n gadael i mi wersylla am ddim. Wedi'r cyfan, doeddwn i ddim ond wedi bod yno ychydig oriau.

'Paid â mynd heb edrych o gwmpas y pentre,' meddai hi. 'Rŷn ni'n falch iawn o'n eglwys fach ni.'

Dwy ddim yn gwybod pam mae oedolion yn meddwl fod eglwysi a phethau tebyg yn ddiddorol. Maen nhw i gyd yn meddwl hynny. Pob gwyliau rwy wedi bod gyda Mam a Dad rwy wedi cael fy llusgo o gwmpas eglwys i weld y ffenestri a phopeth. Maen nhw i gyd yn gywir yr un peth hyd y gwela i. Ac maen nhw'n oer.

'Ydy dy garreg 'da ti tro 'ma?' galwodd hi ar fy ôl.

Roedd hi'n chwerthin.

Ymlwybrais i ffwrdd. Roedd y swigod yn llosgi'm sodlau. Tu ôl i'r waliau mwsoglyd roedd y defaid yn brefu'n ddiflas. Roedd peswch ofnadwy ar rai ohonyn nhw. Dwy ddim yn rhyfeddu, o feddwl bod rhaid iddyn nhw sefyll mewn caeau gwlyb drwy'r dydd. Doeddwn i ddim yn gallu dychmygu sut allai unrhyw un fyw mewn lle fel hyn.

Pennod 17

Ro'n i'n gwybod ei fod e'n beth drwg. Ro'n i'n gwybod y byddai Dad wedi fy nharo i am y pethau wnes i gyda'r bachgen gwyllt. 'Ti yw 'mrenhines i,' dywedodd y bachgen gwyllt. 'Rŷn ni'n briod nawr.'

Bod yn briod oedd bod yn yr eglwys. Ro'n i'n gwybod 'na. Ro'n i'n gwybod nad ei frenhines e oeddwn i mewn gwirionedd. Rhywle yn fy meddwl ro'n i'n gwybod na fyddwn i fyth yn marchogaeth allan o'r cwm gyda fe. Dyna sut ro'n i'n gwybod ei fod e'n beth drwg, yr hyn wnes i.

A'r ffordd arall ro'n i'n gwybod ei fod e'n beth drwg oedd achos beth ddigwyddodd i Mam.

Ond doeddwn i dim yn gallu gadael y lle. Roedd y peth oedd wedi fy nhynnu i yno yn fy nal i yno. Roedd fel petawn i o dan ryw hud, ond siarad dwli yw hynny, rwy'n gwybod. Roeddwn i fel petawn i wedi gwneud rhyw fath o gytundeb â fi fy hun. 'Edrycha ar bob tŷ yma,' meddwn wrthyf fy hun. 'Cer ar hyd pob lôn a llwybr. Paid â gadael unrhyw beth mas. Wedyn, pan wyt ti wedi gweld popeth sydd i'w weld, gei di fynd adre a byth dod 'nôl.'

'Ydyn ni wir yn briod?' gofynnais iddo fe.

'Rŷn ni mor briod â 'mam a 'nhad i,' meddai ef. 'Roedd hi'n bedair ar ddeg ac roedd e'n un ar bymtheg, ac fe briodon nhw'n gwmws 'run fath â ni, Lisa.'

Priododd Mam yn un ar bymtheg. Ond roedd ganddi fodrwy aur loyw ar ei bys i brofi hynny.

'Rho fodrwy i mi, 'te,' chwarddais. 'Fel un Mam.'

'I beth wyt ti'n mo'yn modrwy? Fyddet ti ddim yn ei gwisgo hi.'

'Er mwyn edrych arni,' dywedais wrtho. 'Fel 'y mod i'n gwbod.'

Tro nesa iddo fe 'ngweld i rhoddodd e garreg i mi. Doeddwn i ddim wedi gweld shwd beth od o'r blaen. Roedd wedi troi i mewn arni ei hun fel neidr fach. Ond ro'n i'n ei hoffi hi.

'Beth yw hi?' gofynnais. 'Nid malwoden yw hi, ife?'

'Carreg neidr yw hi. Dyna'r peth gore sy gen i. Mae'n filiyne o flynyddoedd oed.'

'Cer mlân!' dywedais innau. 'Mor hen â 'ny!'

'Cymer hi, Lisa. Nawr rwyt ti'n gwbod ein bod ni'n briod, on'd wyt ti?'

Roedd yn gwm hir iawn. Milltiroedd ar filltir-oedd. Des i ar draws Swyddfa Bost a phrynais ddiod boeth yno. Roedd tipyn ar ôl gen i o'r bwyd roedd mam Eleri wedi'i baratoi i mi. Ffoniais westy fy rhieni a gadael neges iddyn nhw wrth y ddesg yn dweud fy mod yn cael amser wrth fy modd. Fel dywedais i, dwy ddim yn dweud celwydd yn aml ond pan fydda i—maen nhw'n anferth. Wedyn dechreuais ar daith hir, llaith a blinedig. Bu'n bwrw glaw mân drwy'r dydd. Doedd braidd neb o gwmpas, ambell ffarmwr ar gefn tractor, beiciwr neu ddau, a miliynau o ddefaid gwlyb. Tybed pa mor bell oedd hi i'r pwll nofio neu'r sinema agosa? Beth yn y byd oedd pobl yn ei wneud i fwynhau eu hunain yma? Roedd yn ddirgelwch.

'Lisa. Pam wyt ti'n gwenu?' gofynnodd Anwen i mi.

'Cyfrinach,' meddwn i, gan wenu mwy fyth.

Roedden ni yn y pantri, yn sibrwd. Tynnodd hi 'ngwallt, felly dangosais y gyfrinach iddi.

'Hen garreg!' meddai'n wawdlyd. 'Yn mwydro dros ryw dipyn o hen garreg!'

'Neidr farw yw hi.'

'Nag yw fyth.'

'Mae'n filiyne o flynyddoedd oed, Anwen.'

'Mam!' gwaeddodd Anwen. 'Mae'r bachgen gwyllt yna wedi rhoi anrheg i Lisa!'

Edrychodd Mam arna i wedyn, ac roedd hi'n gwybod y cyfan. Dyna fel oedd Mam.

Doedd y garreg neidr yn ddim byd iddi. Gwrthododd Mam edrych arni hyd yn oed. Ond roedd anrheg y bachgen gwyllt wedi datgelu fy nghyfrinachau i gyd iddi, ein cusanau a'n caru, fy mhriodas â fe.

Gafaelodd hi ynof i a'm hysgwyd nes ein bod ni i gyd yn llefen, hi hefyd. Roedd hi'n methu peidio, yn ei chynddaredd.

Rhedodd Anwen i nôl Dad, ac aeth e dan weiddi i dŷ Wncwl Eryl drws nesa. Pan ddaethon nhw'n ôl roedd dryll Wncwl Eryl gyda fe. Aeth Dad i nôl ei un e; yr un mae'n ei ddefnyddio i saethu cwningod. Roedden nhw'n edrych yn fygythiol iawn, y ddau ohonyn nhw. Peidiodd llefen Mam pryd hynny.

'Beth ych chi'n meddwl ei wneud?' gofynnodd hi, ac roedd tawelwch fel oerfel y gaeaf o'i chwmpas hi. Tawelon ni i gyd. Daliodd Anwen Gethin yn ei breichiau. Roedden ni mor dawel â'r bedd yn ein hofn.

'Gyrru nhw o' ma, dyna beth,' meddai Dad.

Erbyn diwedd y dydd ro'n i bron â bod 'nôl yn y man lle cychwynnais i, ac ro'n i'n eitha ffyddiog 'mod i wedi gweld pob peth oedd i'w weld. Ro'n i wedi cerdded ar hyd pob llwybr ffarm, ac wedi cael pum-deg saith o gŵn yn cyfarth arna i, ac wedi gweld drws ffrynt pob bwthyn. Ro'n i'n gyfarwydd â phob tro yn yr afon a lle roedd y pontydd, a bellach ro'n i'n dechrau adnabod defaid unigol hyd yn oed. Erbyn diwedd y dydd ro'n i braidd yn gallu sefyll. Edrychais ar hyd y llwybr a arweiniai lan at Eingion y Diafol ac ro'n i'n gwybod na fedrwn i mo'i ddringo'r noson honno. Gwell gorffwys dros nos a dechrau peth cynta yn y bore. Fe welwn i Eleri eto.

Llusgais fy ffordd 'nôl i siop y pentre. Braidd yr edrychodd y fenyw oedd yn berchen ar y lle arna i. Roedd menyw arall yn y siop yn rhoi wyau iddi o fasged, ac roedden nhw'n benderfynol o gael clonc. Dewisais y bwydydd y gallwn eu fforddio a thalu amdanyn nhw heb iddyn nhw stopio siarad â'i gilydd. Dyna hynny drosodd 'te. Ro'n i wedi gweld y pentre lle ces i 'ngeni, a heb wneud argraff arno o gwbl. Byddwn i'n mynd o 'na ac fe fyddai'n union fel petawn i heb fod yno o gwbl, heblaw efallai am flewyn neu ddau o wair crin lle roedd y babell wedi bod y noson cynt, ac ychydig o ôl traed yn y llaid ar hyd y lôn.

Ro'n i bron â llwgu erbyn hynny. Roedd eisie rhywle â chysgod arna i i fwyta 'mwyd. Triais ddrws yr eglwys, gan feddwl petai 'na dduw i mewn yno (a doeddwn i byth yn hollol siŵr a oedd un ai peidio), byddai dim ots ganddo fe petawn i'n bwyta 'mrechdanau yn ei eglwys. Beth bynnag, roedd e ar glo. Eisteddais yn y cyntedd a'u bwyta nhw. Roedd y lleithder yn yr awyr wedi treiddio i 'nghroen a'm hesgyrn, gan wneud i mi grynu, er nad oedd hi'n oer iawn. Roedd brain yn crawcian yn y coed uchel tywyll fel petaen nhw'n anfodlon ar eu byd. Ro'n i'n teimlo fel petaen nhw'n dweud wrthyf, 'Cer adre. Cer adre. Dwyt ti ddim yn perthyn yma.'

Pennod 18

Aethon nhw lawr i gae Wncwl Eryl, lle roedd faniau'r bobl wyllt. O'r gegin gallwn glywed Wncwl Eryl yn gweiddi.

Wedyn gafaelodd Mam yn fy llaw a dechrau 'nhynnu i, a'm llusgo i o'r bwrdd lle ro'n i'n eistedd gyda'r garreg neidr yn fy nwylo a'm llygaid wedi'u cau'n dynn.

'Caiff rhywun ei ladd,' meddai hi yng nghefn ei llwnc. 'A dy fai di fydd e, Lisa.'

Llusgodd hi fi i lawr i'r cae. Ro'n i'n gallu gweld y goleuadau a'r tanau euraidd. Roedden ni'n gallu gweld Wncwl Eryl a 'nhad, yn eu cwrcwd gyda'u drylliau wrth y coed. Roedd Dad yn barod i danio pan gyrhaeddodd Mam. Rhedodd hi gan weiddi a thynnodd ei law'n ôl. Aeth yr ergyd draw i fyny i'r goeden.

'Damia di!' gwaeddodd e. 'Dy'n ni ddim yn saethu i'w lladd nhw, Megan.'

Dwy erioed wedi clywed shwd weiddi a dicter, shwd redeg a rhuo ac ergydio pedolau ceffylau, shwd dwrw olwynion ofnadwy.

Tra bydda i byw fe fydd pystylad gwyllt y ceffylau a tharanu ofnadwy'r olwynion yn rhuo yn fy mhen.

Erbyn diwedd y noson roedd y cwbl drosodd. Roedd y gwersyll i gyd wedi mynd.

Welais i fyth mo Sam, fy machgen gwyllt. Welais i fyth mohono wedyn.

A chyn y bore, roedd babi Mam wedi dechrau dod. Roedd yn rhy gynnar. Roedd e'n gorwedd y ffordd anghywir.

Lladdodd e fy mam.

Dyna beth wnaeth fy mhechod drwg i.

Pennod 19

Roedd tusw o flodau gwyllt, ffres ar un o'r beddau, a dechreuon nhw chwythu o gwmpas yn y gwynt, ac yn y diwedd chwythu oddi ar y twmpath o wair i fedd rhywun arall. Codais nhw ar fy ffordd mas o'r fynwent a phlygu i'w gosod 'nôl lle roedden nhw'n perthyn. Daliodd rhywbeth fy llygad. Chi'n gwybod y ffordd mae'ch enw eich hunan yn neidio mas atoch chi. Dyna lle roedd fy un i, yn wyrdd gan fwswgl, ar y garreg fedd. Samuel. Penliniais i geisio darllen y llythrennau eraill.

MEGAN JONES
Priod annwyl Samuel
Bu farw ar enedigaeth plentyn, 1985

Sefais ar fy nhraed mor sydyn nes bod fy mhen yn troi. Dyna'r flwyddyn ces i 'ngeni. Doeddwn i ddim yn gallu darllen gweddill y llythrennau. Doeddwn i ddim eisie. Roedd Mair Gwilym yn anghywir. Nid merch yn dringo dros fynydd mewn storm eira oedd fy mam. Roedd hi wedi marw yn rhoi genedigaeth i mi. Dyma lle roedd hi, wedi'i chladdu ym mynwent yr eglwys, ac roedd ei gŵr wedi fy enwi i ar ei ôl ef ei hun ar ôl iddo fy rhoi i bant.

* * *

Treuliais y noson honno mewn sgubor. Doeddwn i ddim yn gallu fforddio mynd i'r maes pebyll ac ro'n i'n gwybod nad oedd diben codi'r babell yn unrhyw le arall neu fe fyddai'r wraig ffarm yn dod ar fy ôl i gyda'i chi eto. Ac o leia roedd y sgubor yn sych. Ond bod ieir ynddi. Do'n i ddim yn rhyw hapus ynglŷn â nhw rhag ofn y bydden nhw'n fy mhigo i, felly gwthiais fy hun yn ddwfn i lawr tu fewn i'm sach gysgu. Buon nhw'n clwcian o 'nghwmpas i am ychydig, wedyn neidion nhw ar y pyst a'r trawstiau a mynd i glwydo am y nos. Hyd yn oed trwy fy sach gysgu roedd y gwellt yn pigo ac yn crafu.

Yng nghanol y nos sgrechiodd tylluan. Cododd ofn arnaf trwy 'mherfedd. Ro'n i'n meddwl ei bod hi yn y sgubor. Ro'n i'n meddwl efallai y byddai'n mynd am fy llygaid i. Chysgais i ddim winc ar ôl hynny, ddim am oriau. Ro'n i wedi bwriadu mynd cyn y wawr ond cefais fy neffro gan sŵn y drws yn cael ei wthio ar agor. Ffrydiodd golau'r haul i mewn fel llif o ddŵr gan fy nallu i. Codais ar fy eistedd gyda'm llaw yn cysgodi fy llygaid. Roedd menyw yn sefyll yn y drws, yn syllu arna i.

Drannoeth roedd y tŷ mor dawel. Tawelwch fel diwedd y byd.

Roedd Mam ar ei gwely dan gynfas. Roedd Dad wedi blino'n lân yn ei alar. Roedd y bechgyn gydag Anwen yn nhŷ Wncwl Eryl.

Es i lawr i'r cae lle bu gwersyll y bobl wyllt. Doedd gen i ddim mo'r help.

Ro'n i'n mo'yn gweld y ceffylau yno o hyd, a'r faniau'n dal wedi'u parcio. Mo'yn clywed y bobl wyllt yn chwerthin ac yn siarad.

Mo'yn gweld Mam yn cerdded ar hyd y lôn gyda'i breichiau wedi'u plethu dros ei bola mawr.

Fyddwn i byth yn gweld Mam eto.

Roedd y cae wedi'i gorddi lle roedd y ceffylau a'r olwynion wedi treiglo. Cylchoedd du lle roedd y tanau wedi bod. Dim mwy.

Edrychais lan a gweld y niwl ar ochr y mynyddoedd. O 'nghwmpas i gyd, yn llifo fel dŵr.

A fyddwn i byth yn ei weld e eto, Sam, y bachgen gwyllt.

Pennod 20

Dwy ddim yn meddwl am y bachgen gwyllt.

Dwy ddim yn meddwl am ei fabi.

Dwy'n ceisio peidio.

Ceisiais beidio y diwrnod y daeth Anwen o hyd i mi yn yr eira. Cadw fe allan o'm meddwl. Cadw 'ngheg ar gau. Cadw 'ngheg ar gau am fisoedd. Bron i ti farw, dywedodd Anwen ar ôl i mi fod dros y mynydd.

Hi ofalodd amdana i. Hi wnaeth fy mwydo i â bara llaeth, fel y byddai Mam wedi gwneud.

Gosododd fy nghot ddu ar yr hoelen yn fy stafell i. Pan ddihunais ro'n i'n meddwl mai Mam oedd hi. Roedd eisie Mam arna i.

Siaradais i ddim. Es i mlaen â 'ngwaith. Roedd rhaid i mi fynd i'r sgubor bob dydd i gasglu wyau gyda Huw. Byddwn i'n aros, yn y fan honno wrth y drws, yn aros i weld a oedd y gwellt yn anadlu yn y cornel yna. Yn ofnus o hyd, yn cofio'r noson honno.

'Shw-shw!' wrth yr ieir.

Codi'r wyau a gadael cyn gynted ag y medrwn, bob dydd.

Pan ddaeth y gwanwyn dyma wyau un o'r ieir yn deor. Huw a minnau'n dod â'i thri ar ddeg o gywion bach i'r tŷ. Dyma ni'n eu gosod nhw yn y fasged wrth y tân. Penliniais ar y mat o flaen y tân i'w gwylio gyda Gethin a Huw. Daeth Anwen â soseraid o ddŵr a'i osod i'r cywion ei yfed. Roedd un yn rhy fach. Gorweddai ar ei ochr heb symud.

Codais i fe, a gweld ei fod e'n anadlu. Dal ei big ar agor fel y gallai yfed.

Cymerodd Anwen y cyw o'm llaw, a'i roi'n ôl yn y fasged, a sychu fy wyneb â'r lliain.

'Dyna ti, Lisa,' meddai hi. 'Llefa di nawr. Llefa di.'

Pennod 21

Doeddwn i ddim mo'yn priodi neb.

Yr holl flynyddoedd ar ôl i'r bobl wyllt adael, doeddwn ddim am briodi. Ofynnodd neb i mi.

Wedyn un dydd daeth Dad ata i ar y buarth.

'Lisa,' meddai. 'Mae Idwal Rees am ofyn i ti ei briodi, ac rwy'n meddwl y dylet ti.'

Ddywedais i ddim. Idwal Rees!

Cerddais i ffwrdd oddi wrth 'nhad, a mynd lan at bont y ceffylau. Sefais yno ac edrych ar hyd y cwm i gyd, y cyfan, ar ei hyd, y waliau a'r caeau, y defaid a'r gwartheg tawel. Fy mynyddoedd a'm bryniau hyfryd. Roedd y golau ar y gwair yn euraidd. Cân y gylfinir yn byrlymu fel dŵr. Yr ehedydd yn uchel, uchel fry ac yn canu â'i galon yn ei gân. Rwy wedi'u clywed bob haf ar hyd fy oes.

Gweld Dad ac Idwal gyda'i gilydd yn trwsio waliau. Mae Huw a Gethin yn fechgyn mawr nawr, meddyliais. Mor dal â mi, dim angen magu arnyn nhw. Mae Mam yn y ddaear ers chwe blynedd.

Anwen yn briod ac yn cadw siop yn y pentre. Gallwn ni wneud y tro â dyn i helpu ar ffarm Wncwl Eryl. Rwy'n gwybod hynny. Roedd yr ehedydd yn hollti 'nghlustiau gyda'i gân. Byddai'n neis cael cusanu eto, Lisa Jones.

Roedd Idwal Rees mor swil, edrychodd e ddim arna i pan ddes i'n ôl lawr i'r buarth. Es i'n syth ato fe a cheisiodd gymryd arno nad oedd yn gwybod 'mod i yno. Wrth gwrs ei fod e'n gwybod. Gallwn ddweud wrth y

141

ffaith fod ei ysgwyddau wedi'u sythu, a'r gwrid ar ei wddf. Gallwn ddweud mor ofnus oedd e.

Cân yr ehedydd fel llafnau o risial.

Estyn fy llaw a chyffwrdd â llaw Idwal.

'Iawn,' meddwn i.

Dodais i nhw mas o'm meddwl, Sam y bachgen gwyllt, a'r babi yn y gwellt. Dodais i nhw mas o'm meddwl am byth.

Pennod 22

Rhaid bod y fenyw yn nrws y sgubor wedi 'ngweld i ond ddywedodd hi ddim byd. Safodd hi yno gyda'i llaw wrth ei cheg, yn syllu arna i. Arhosais yn hollol lonydd, gan obeithio na fyddai hi'n dechrau sgrechen neu weiddi arna i neu rywbeth. Syllodd hi arna i fel petawn i'n ysbryd yn codi o'r gwellt.

Wedyn gwnaeth hi'r sŵn od 'ma yng nghefn ei llwnc, 'Shw-shw!' sŵn rhyfedd, esmwyth, cysurus, ychydig fel y sŵn mae ieir yn ei wneud, yna plygodd a dechrau ymbalfalu yn y gwellt. Sylweddolais ei bod hi'n chwilio am wyau.

Roedd ei symudiadau'n fy swyno i. Mae'n debyg ei bod hi tua deg ar hugain ond roedd hi'n edrych dipyn yn iau ar y dechrau. Roedd hi'n fach iawn ac yn denau gyda gwallt golau, anniben, ac roedd yn plygu ac yn ymestyn fel dawnswraig, yn pwyso'r fasged dros ei braich a'i chlun. Canol-bwyntiodd yn llwyr ar gasglu'r wyau 'na, a thrwy'r amser roedd hi'n gwneud y sŵn cysurus fel clwcian yng nghefn ei llwnc.

Edrychodd hi ddim arna i eto, ar ôl y tro cyntaf yna. Roedd fel petai hi wedi penderfynu nad oeddwn i yno o gwbl. Ac arhosais i mor llonydd fel y gallai hi gredu'i hun.

Ar ôl iddi fynd arhosais am ychydig ac wedyn casglu 'mhethau a sleifio allan tu cefn i'r sgubor a rhedeg i lawr y lôn fel cath i gythraul.

Arhosais eto ar ôl tua hanner milltir. Doedd neb o gwmpas. Roedd yr haul wedi codi ac yn pefrio a phob llafn o wair yn ddisglair â gwlith. Ro'n i braidd yn gallu credu 'mod i yn yr un lle. Roedd hi fel gwlad arall pan oedd yr haul yn tywynnu. Roedd y llethrau'n loyw gan liwiau gwyrdd a phorffor. Roedd blodau bach ar ochr y lôn, ac ieir bach yr haf glas ac oren yn hofran o'u cwmpas. Doeddwn i ddim wedi bod yn unman mor brydferth. Doeddwn i ddim wedi clywed y fath nifer o adar yn canu—dwy ddim yn gwybod sut gallai cymaint o sŵn ddod o greaduriaid mor fychan.

Cerddais i lawr i siop y pentre a phrynu can o sudd â gweddill yr arian oedd gen i ar ôl. Gwnaeth y fenyw yno fy nabod i o'r diwrnod cynt a sgwrsiodd am y tywydd a gofyn i mi a fyddwn o gwmpas ar gyfer y twmpath yn neuadd y pentre ar nos Sadwrn.

'Mae 'mrawd Huw yn canu'r ffidil yn y band,' meddai hi. 'Dylet ti ei glywed e.'

'Bydda i yng Nghaerdydd dydd Sadwrn,' dywedais wrthi.

'Caerdydd!' gwgodd. 'Druan â ti. Pwy fyddai eisie bod yng Nghaerdydd pan allen nhw fod yma!'

Ro'n i ar fin magu digon o ddewrder i ofyn iddi ble oedd Samuel Jones yn byw pan alwodd llais arni o du cefn y siop.

'Anwen. Mae Lisa'n dod â'r wyau. Sawl un wyt ti'n mo'yn heddi?'

Esgusododd ei hun a mynd. Arhosais am

ychydig. Ro'n i'n hoffi sgwrsio â hi. Es tu fas ac eistedd ar y wal yn agos i'r siop i orffen fy niod ac i fwyta ychydig rhagor o'r bwyd oedd gen i ar ôl. Dim llawer, ond doedd dim ots. Byddwn yn nhŷ Eleri erbyn amser cinio. Doeddwn i ddim yn gallu penderfynu a ddylwn i geisio dod o hyd i Samuel Jones ai peidio. Doeddwn i ddim yn gwybod bellach a o'n i am wneud hynny. Yr unig beth ro'n i'n mo'yn, wedi'r cwbl, oedd gweld fy mam, dim ond ei gweld hi. Ac roeddwn i bymtheng mlynedd yn rhy hwyr.

Ac eto doeddwn i ddim am fynd. Roedd rhywbeth yn corddi yn fy meddwl. Roedd rhywbeth nad oedd yn gwneud synnwyr.

Crwydrais ar hyd y lôn gyda'r can yn fy llaw ac es yn ôl i'r fynwent. Yn yr haul doedd e ddim yn lle dychrynllyd o gwbl. Byddai dim ots 'da fi gael fy nghladdu yno fy hun ryw ddydd. Pan fydda i wedi marw, wrth gwrs. Chwarddais wrthyf fy hun wrth feddwl hynny. Dyna'r math o beth fyddai Dad yn ei ddweud. Roedd 'na adar â chynffonnau hir, ychydig fel gwenoliaid, yn hedeg ar draws yr eglwys, yn ei chyffwrdd ac yna'n sgimio i ffwrdd eto. Roedden nhw'n fy atgoffa o blant bach yn yr iard yn chwarae dala.

Es yn ôl at y garreg fedd ac eistedd ar ei phwys hi. 'Megan, priod annwyl Samuel Jones, bu farw ar enedigaeth plentyn, 1985. Mam . . .' Roedd yr enwau wedi'u gorchuddio â mwswgl ac roedd hi'n anodd i'w darllen. Ceisiais feddwl yn glir. Os taw Samuel Jones oedd fy nhad, a bod ganddo fe'r holl blant eraill yna, pam oedd yn rhaid iddo fy rhoi i fabwysiadu? Efallai nad oedd yn gallu gofalu am fabi newydd ei hun. Mae'n debyg fod hynny'n gwneud synnwyr. Ond pam fyddai e'n gyrru o gwmpas y cymoedd i gyd a chyrraedd drws Mair Gwilym a 'ngollwng i yn y blwch llythyron o bob man? Pam nad oedd e wedi ffonio cymdeithas fabwysiadu a gofyn iddyn nhw fy nghymryd i? Doedd dim byd yn gwneud synnwyr mewn gwirionedd. Tynnais fy mys ar hyd yr enwau, a rhwbio'r mwswgl i ffwrdd. 'Mam annwyl Lisa, Anwen, Huw a Gethin.' Ac roedd mwy o ysgrifen. Roedd yn rhaid i mi dynnu llond dwrn o borfa i ffwrdd i gyrraedd hwnnw. Crafais ef yn lân. 'Claddwyd yma hefyd, ei phlentyn, na fu fyw i weld golau dydd.'

Felly ro'n i'n anghywir. Pwysais yn ôl, wedi blino'n lân. Doedd y garreg fedd yma ddim i'w wneud â mi wedi'r cwbl. Ro'n i'n ôl yn y man cychwyn.

Gosodais y borfa'n ôl yn ofalus, a'r tusw bach o flodau. Ystyriais roi'r darnau o fwswgl 'nôl, a'u gwasgu ar y geiriau oedd wedi'u naddu ar y garreg. Ro'n i'n teimlo 'mod i wedi amharchu bedd teuluol preifat. Es o'r fynwent a chau'r gât. Es 'nôl ar hyd y lôn a throi tua'r llwybr fyddai'n arwain at Eingion y Diafol ac o'r cwm am byth.

Ro'n i wedi edrych ar bob tŷ yno. Rhaid mai un ohonyn nhw oedd y man lle treuliais oriau cynta 'mywyd. Cofiais beth ddywedodd Mair Gwilym: 'Rhaid bod y plentyn 'na'n dy garu di.'

Penderfynais na fyddwn i'n aros eto nes cyrraedd y bont gul dros y pwll lle ro'n i wedi trio codi'r babell y noson gynta. Roedd hynny fel oesau'n ôl. Blynyddoedd yn ôl. Mewn ffordd ryfedd ro'n i'n teimlo fel petawn i wedi troi'n berson arall ers hynny. Efallai ei fod rywbeth i'w wneud â bod ar fy mhen fy hun, yn siarad â'r rhan dawel ohonof tu fewn i 'mhen am oriau ar y tro. Penderfynais 'mod i'n eitha hoffi bod gyda'n hunan. Ro'n i'n eitha hoff ohonof fy hun. Doeddwn i erioed wedi meddwl am hyn o'r blaen.

Wrth i mi adael yr olaf o'r ffermydd a'r bythynnod ro'n i'n gallu clywed lleisiau plant yn sgrechen ac yn chwerthin. Roedden nhw'n chwarae yn yr afon. Dringais tuag at gyfeiriad eu sŵn. Roedd tua hanner dwsin o blant yno, plant y pentre, mae'n siŵr, gan nad oedd yr un oedolyn gyda nhw. Roedd yn un o'r diwrnodau poethaf ro'n i'n gallu'i gofio. Ro'n i'n babwr o chwys. Do'n i ddim wedi 'molchi ers gadael y maes pebyll. Ro'n i'n bendant wedi bod yn byw yn fy sgidiau am yn rhy hir. Tynnais fy sgidiau rhedeg drewllyd ac eistedd ar y lan, gan drochi 'nhraed yn y dŵr rhewllyd ac ystyried tynnu 'nillad hyd fy nhrôns a neidio i mewn. Roedd y plant wrth eu boddau, yn taflu dŵr at ei gilydd ac yn sgrechen nerth eu pennau.

Dringais lan ac eistedd yn eu hymyl nhw, dim ond yn gwylio. Roedd y pwll dan y bont mor ddwfn gallech chi nofio ynddo'n hawdd. Roedd y plant yn neidio i mewn o'r lan ac yn nofio ar draws. Teimlais awydd gormesol i fod yn y dŵr gyda nhw. Ro'n i wedi gwthio popeth fel 'na o'm meddwl a nawr roedd e'n fy llusgo'n ôl ataf fy hun. Ro'n i am fod mewn pwll hir glas, yn ymestyn fy mreichiau a 'nghoesau'n llawn, pen i lawr yn torri cwys trwy'r dŵr. Ro'n i am deimlo'r dŵr sidanaidd ar fy nghroen, yn dymuno troi a throsi ynddo a throelli i'r dyfnderoedd. 'Cyffwrdd â'r gwaelod,' gallwn glywed Carwyn Evans yn dweud. 'Cyffwrdd â'r gwaelod ac ymestyn lan am adref!'

Dyma un o'r plant, merch wallt melyn, tua wyth neu naw oed, yn dringo ar ben ochr y bont a sefyll arni. Arhosodd y plant eraill yng nghanol eu gêm a'u gwylio hi. Stryffagliodd crwt bach oedd yn edrych fel petai'n frawd iddi lan i sefyll ar ei phwys hi, dal ei drwyn, a neidio i mewn fel broga, breichiau a choesau dros y lle i gyd. Ond arhosodd y ferch fach, yn llonydd, i'r dŵr dawelu eto. Daliodd ei hun, a chodi'i breichiau'n ara' deg, a llamu, cyn laned â saeth, i'r dŵr. Roedd ei mynediad yn berffaith. Edrychais arni'n deifio, eto ac eto. Roedd hi'n ddeifiwr naturiol. Roedd ei gwylio hi'n gwneud i 'nghalon guro yn erbyn fy asennau. Gwnaeth i mi feddwl am rywbeth arall roedd Carwyn yn arfer ei ddweud. 'Mae rhai pobl wedi'u geni i ddeifio. Rwy'n gweld plant yn deifio bob dydd o 'mywyd, ac maen nhw i gyd yn dda, ond pob hyn a hyn rwy'n gweld un sy'n deifio fel aderyn. Mae'n hala ias lawr 'y nghefn i'w gwylio nhw.' Dyna'r ffordd roedd e'n teimlo, meddai ef, y tro cynta iddo fy ngweld i'n deifio.

Es i sefyll ar y bont ac aros i'r ferch redeg lan eto. Roedd gen i awydd dangos iddi sut i wneud trosben.

'Helô,' dywedais wrthi.

Taflodd olwg draw ata i a dringo ar ochr y bont eto. Dringodd y brawd bach oedd fel broga lan ar ei phwys hi.

'Rwyt ti'n deifio'n eitha da,' dywedais wrth y ferch.

'Beth yw deifio?' gofynnodd y bachgen.

'Rhywun sy'n neidio mewn i'r dŵr 'run ffordd â dy chwaer,' meddwn i.

'Pw,' meddai ef, gan gwympo'n fwriadol a gwneud cymaint o sblash ag y gallai.

'Rwy'n deifio tipyn,' dywedais i. 'Rwy'n mynd i glwb arbennig lle maen nhw'n ein dysgu ni sut i ddeifio'n iawn. Gallet ti ymuno ag un pan wyt ti'n hŷn.'

Syllodd hi arna i, ei llygaid yn grwn ac yn ddifrifol. Doeddwn i ddim hyd yn oed yn gallu dweud a oedd hi'n gwrando arna i neu beidio.

'Wyt ti mo'yn i mi ddangos i ti sut i wneud deif arbennig?'

Daliodd i syllu arna i, yn gwbl ddifynegiant.

Eisteddais yn fy nghwrcwd, a dangos iddi, heb neidio'n hun, sut gallai hi neidio 'mlaen a'i thraed dros ei phen. Gwyliodd fi yn ei ffordd dawel ac wedyn heb feddwl dwywaith dyma hi'n deifio, gan adael i mi daro ei sodlau ar y funud ola fel y gallai hi rolio i mewn. Doedd dim arlliw o ofn arni.

'Gelli di 'i wneud ar dy ben dy hun nawr,' dywedais wrthi. Es i eistedd ar y lan fel fy mod yn gallu'i gwylio yn deifio. Roedd yn beth arbennig i'w gweld hi yno, ei chroen yn loyw yn yr heulwen a'r mynyddoedd gwyrdd a phorffor tu ôl iddi, a sŵn chwerthin a gweiddi'r plant yn adleisio o'r creigiau. Roedd hyn gymaint yn fwy naturiol na neidio oddi ar slabyn o goncrit i fàth llawn clorîn.

Gadawodd y plant eraill ar ôl tipyn, a rhedeg adre ar gyfer eu cinio. Daeth y ferch a'i brawd i eistedd ar fy mhwys i. Gorweddodd hi ar ei stumog gyda'i gên yn ei dwylo.

'Rwyt ti'n dda iawn,' meddwn i.

Chwarddodd hi wedyn, gan guddio'i llygaid â'i dwylo a throi ar ei chefn.

'Beth yw d'enw di?' gofynnodd hi i mi.

'Sami,' meddwn i.

'Rwy'n Sami,' meddai ei brawd. 'Nagw i, Meg? 'Yn enw i yw Sami.'

Dyna fe eto. Rhyw gosi, fel tôn heb ei gorffen, yn curo yn fy mhen. Roedd menyw'n dod ar hyd y llwybr tuag aton ni, yn araf iawn.

Doeddwn i ddim am godi 'mhen i edrych arni hi. Ro'n i'n gwybod ei bod hi wedi aros a'i llaw yn pwyso ar ei cheg. Nawr roedd y curo tu fewn i mi mor gryf fel bod yn rhaid iddo ffrwydro.

Rhywle o bellter, sylweddolais fod y crwt bach, y Sami bach, yn siarad â fi. 'Be sy yn hwnna?' gofynnodd i mi. 'Be sy yn dy fag glas di?'

'Pethe nofio,' atebais yn fecanyddol. Agorais fy

mag. Roedd fy nwylo'n crynu. Doeddwn i ddim yn gallu edrych ar y fenyw'n iawn. 'Pabell.'

'Mami, ei enw e yw Sami, hefyd,' meddai Sami bach. 'A dysgodd e Meg sut i wneud roli-poli oddi ar y bont.'

'Dy frws dannedd. Dy sach gysgu.' Roedd Meg yn chwerthin, yn chwilio trwy 'mag. 'Nag oes dim pyjamas 'da ti?'

'Beth yw hwn?'

Roedd yr amonit wedi rholio allan o'r bag ac roedd Sami wedi gafael ynddo fe. 'A!' meddai'r fenyw fel anadl, mor dawel fel nad oeddech braidd yn gallu'i chlywed hi.

Ro'n i'n gwybod beth i'w wneud wedyn. Roedd y gân yn fy mhen yn uwch nag unrhyw beth, yn uwch na dwndwr yr afon yn cwympo i'r pwll, neu brepian Sami, neu frefi'r defaid, yn uwch na chân ddiddiwedd yr aderyn yna. Cymerais yr amonit o law Sami a mynd ag e draw ati hi.

Edrychodd hi arna i yn yr un ffordd ag yr oedd hi wedi edrych arna i yn y sgubor y bore hwnnw, fel petai hi wedi gweld ysbryd yn codi o'r ddaear, fel na feiddiai hi anadlu rhag ofn iddi ei ddychryn. Aeth hi â'r amonit o'm llaw heb 'run gair a'i ddal yn erbyn ei boch.

'Fy ngharreg neidr,' meddai hi o'r diwedd.

Tyrrodd y plant o'i chwmpas hi. 'Beth yw e? Beth yw carreg neidr? Pam mae e gyda fe? Ga i gael e?' Roedden nhw fel y gwybed y noson o'r blaen yn fy atal rhag meddwl yn eglur. Ro'n i am iddyn nhw fynd o 'na a 'ngadael i gyda hi.

Roedd rhywun arall yn dod ar hyd y llwybr, dyn tal gwallt melyn. Wrth fy ngweld i yno safodd 'nôl, fel petai e'n rhy swil i siarad â phobl ddierth. Neu efallai ei fod e'n gwybod ei fod e'n ymyrryd.

'Lisa? Ŷn ni'n mynd i gael bwyd nawr?' galwodd. Neidiodd y fenyw ychydig, fel petai hi'n tynnu'i hun o freuddwyd. Edrychodd hi arna i'n gyflym ac ar ei hwyneb gwelais ferch fach, un llawn ofn. Fe welais i hi'n gofyn rhywbeth i mi, ac wrth i mi edrych 'nôl rhois fy addewid iddi.

Rhedodd y plant tuag ato fe'n gweiddi, 'Dadi, Dadi, dere i weld ni'n deifio.'

'Ar ôl cinio,' meddai. Cododd Sami ar ei ysgwyddau a sefyll a'i law ar ben Meg, yn aros.

Rhoddodd hi'r garreg neidr 'nôl. 'Wyt ti'n fachgen hapus, Sami?' gofynnodd i mi.

Nodiais fy mhen.

'Rwy'n falch dy fod ti'n hapus.'

Nodiais fy mhen eto. Doedd dim gair ynof i. Doedd dim rhagor o eiriau ganddi hithau chwaith. Beth oedd diben geiriau?

Syllodd hi arna i fel petai hi'n ceisio fy argraffu i ar ei meddwl am byth. Doeddwn i ddim yn gallu goddef rhagor. Rhois yr amonit 'nôl yn fy mag chwaraeon a phan sefais ar fy nhraed eto roedd hi wedi mynd. Gwyliais hi gyda'i gŵr a'i phlant, yn mynd yn araf ar hyd y llwybr i'w cartref. Es i ddim ar ei hôl hi. Doeddwn i ddim eisie. Roedd ganddi ei theulu ei hun. Fel finnau.

Wnes i ddim fy ngadael fy hun i edrych 'nôl eto tan i mi ddringo i ben y mynydd. Roedd niwl wedi disgyn, gyda'r haul yn euraidd drosto. Roedd y dyffryn dirgel wedi'i guddio tu fewn iddo.

Pennod 23

'Lisa. Beth sy'n bod?' gofynnodd Idwal.

Ysgydwais fy mhen. Methais ddweud wrtho.

Gosododd ei ddwylo ar fy ysgwyddau, gostwng ei wyneb i'm hwyneb i, fel bydd e'n arfer gwneud. Gofid yn pefrio yn ei lygaid. Ei dalcen yn crychu gan ofid.

'Lisa. Dwed wrtha i.'

Ysgydwais fy mhen eto. Dal fy llaw dros fy ngheg, rhag ofn i'r geiriau hedfan o'na a'i frifo.

Chwarddodd Idwal ychydig. 'Rwyt ti'n edrych fel petait ti wedi gweld ysbryd, bach!'

Ysbryd. Ai dyna beth oedd e?

Ysbryd y bachgen gwyllt, gwallt du.

Pennod 24

Pan gyrhaeddais dŷ Eleri ro'n i'n teimlo fel petawn i wedi dod adre. Trwy gydol y daith hir ro'n i wedi bod yn meddwl yn ddwys am y cyfarfod rhyfedd gyda fy mam. Doeddwn i ddim wedi disgwyl iddi fod yn briod, na bod ganddi blant. Mae'n debyg fy mod, mewn ffordd hunanol, wedi disgwyl ei bod hi'n aros i mi i ddod o hyd iddi, ac y byddai hi'n falch iawn i 'ngweld i. Ro'n i wedi disgwyl iddi ofyn pob math o gwestiynau i mi i lanw'r blynyddoedd. Doeddwn i ddim wedi dweud dim wrthi. Doeddwn i ddim hyd yn oed wedi dweud wrthi am y deifio.

Doeddwn i ddim yn gwybod beth i'w feddwl rhagor. Ond ro'n i wedi gwneud beth ro'n i wedi'i fwriadu. Ro'n i wedi dod o hyd iddi. Ro'n i wedi'i gweld hi. Ro'n i'n gwybod yn union sut oedd fy mam yn edrych.

Ac roedd rhywbeth arall wedi digwydd hefyd. Doeddwn i ddim yn meddwl amdani fel fy mam rhagor. Mam oedd fy mam iawn. Doeddwn i ddim yn gallu aros i'w gweld hi eto.

Ro'n i'n dal i feddwl am hyn pan gyrhaeddais y tŷ. Daeth Eleri dan redeg lan y llwybr i gwrdd â fi.

'Weles i ti'n dod drwy'r ffenest,' meddai hi. 'Rwyt ti wedi bod bant am oesau! Dest ti o hyd iddi?'

'Do.'

'Gwych! Mam—daeth e o hyd iddi! Sut un yw hi? Oedd hi'n falch o dy weld di?'

Edrychodd ei mam ar fy wyneb a dweud, 'Dwy ddim yn meddwl fod Sami am siarad am y peth eto, Eleri. Byddwn i'n meddwl fod llawer mwy o ddiddordeb ganddo fe mewn cael bàth, a phryd o fwyd?'

Ro'n i'n fwy blinedig nag yr o'n i wedi bod yn fy myw. Cwympais i mewn i'r bàth a gorwedd yno am tua hanner awr, tan i Eleri weiddi fod bwyd yn barod. Sgwrsiodd ei mam am bopeth dan haul ond fy nhaith dros y mynydd, tra bo Eleri yn tuchan ac yn ochneidio ac yn methu â chael gair i mewn. Ar ôl i mi fwyta, a phan o'n i'n teimlo'n ddigon da i siarad eto, aethon ni â'n paneidiau o siocled poeth lan stâr i eistedd gyda Mair Gwilym.

'Mae llawer wedi digwydd ers i ti adael,' dywedodd wrthyf. 'Mae Delyth wedi penderfynu ei bod hi'n gweld eisie'i gŵr a Dafydd gymaint fel eu bod nhw'n mynd 'nôl i Gaerdydd yfory.'

'Rwy'n credu ein bod ni'n mynd â Sami gyda ni. Byddwn ni'n gwneud yn siŵr ei fod e'n derbyn ei hyfforddiant wedyn,' gwenodd mam Eleri arna i.

'Ac rwy wedi penderfynu 'y mod i'n gwella,' meddai Mair. 'Rwy'n credu mai dy weld di eto wnaeth e, a dy weld yn brasgamu lan y mynydd. A Delyth yn bygwth mynd â fi'n ôl i Gaerdydd gyda hi os nag o'n i'n siapo. Rwy'n credu'n bod ni i gyd yn gwbod lle rŷn ni'n perthyn, on'd ŷn ni Sami?'

Doedd hi ddim yn siarad â fi fel petawn i wedi

156

crwydro i mewn o'r stryd. Roedd hi'n siarad â fi fel un oedolyn yn siarad ag un arall.

'A dweud y gwir, nid Sami yw fy enw i,' meddwn i. 'Maen nhw'n fy ngalw i'n Daniel nawr.'

Fe wnaeth hynny i ni i gyd chwerthin. Roedd yn od pa mor dda roedd hynny'n teimlo.

'Wyt ti'n mynd i ddweud wrthyn ni am dy fam?' gofynnodd Mair.

Caeais fy llygaid. 'Mae hi'n fach iawn,' meddwn i. Roedd hi'n anodd ei gweld hi'n barod. 'Ac yn denau. Yn fychan. Mae ganddi wallt brown eitha byr ac mae ei chroen hi'n frown iawn hefyd. Mae ganddi wyneb neis. Wyneb hyfryd, trist a hyfryd.'

Dyna ni. Ro'n i wedi llwyddo. Ro'n i wedi'i gwneud hi'n real. Agorais fy llygaid. Roedd Mair yn gwyro'i phen tuag ata i, yn falch o'r darlun ro'n i wedi'i roi iddi.

'Wyt ti'n mo'yn unrhyw beth, cyn i ti fynd i'r gwely?' gofynnodd mam Eleri i mi.

'Os gwelwch yn dda,' meddwn i. 'Papur sgwennu. Rwy'n credu hoffwn i sgwennu llythyr at Mam a Dad.'

Cymerodd oesau i mi sgwennu ychydig eiriau. Pan orffennais es i ag e i'r Swyddfa Bost. Roedd fel petai blynyddoedd wedi mynd heibio ers i mi sefyll yno a sylwi ar fam Eleri yn ei ffrog las. Ro'n i wedi teimlo fel plentyn bach ar goll bryd hynny.

Gyda theimlad rhyfedd, fel petawn i wedi 'natgysylltu, gadewais i'r llythyr fynd a'i weld yn llithro drwy'r hollt. Byddai gartre pan fydden nhw'n cyrraedd 'nôl o'r Alban. Dychmygais wynebau Mam a Dad wrth iddyn nhw ei ddarllen e. Dychmygais Mam yn gwisgo'i sbectol ac yn syllu arno, yn cnoi ei gwefus, yn pendroni. Dychmygais Dad, ei wyneb llydan yn gwenu, yn chwerthin mewn syndod. Ro'n i'n hiraethu am fod gyda nhw eto. Adroddais eiriau'r llythyr wrth i mi gerdded 'nôl i gyfeiriad Brodawel. Ro'n i'n eu gwybod ar fy nghof, roedd hi wedi cymryd cymaint o amser i'w cael yn iawn. Beth oeddwn i am ddweud oedd fy mod i am ei mabwysiadu *nhw*. Dyna'r math o beth byddai Dad yn dwlu arno fe. Byddai e'n gweld y jôc. Ond byddai'n gwneud i Mam lefen, mae'n debyg, a doeddwn i ddim am i hynny ddigwydd, felly fe ysgrifennais:

Annwyl Mam a Dad,

Dwy ddim wedi bod lle roeddech chi'n meddwl ro'n i'n mynd. Des i o hyd i'r fan lle ces i 'ngeni, a gwelais fy mam, ac rwy'n credu nawr 'mod i'n deall pam wnaeth hi fy rhoi bant. Rwy'n gwybod na alla i aros gyda hi. Ro'n i am ei gweld hi, dyna i gyd. Rwy'n falch fy mod i wedi. Ac rwy'n falch fy mod i'n dod adre.

Cariad,
Daniel.

Pennod 25

Ar ddiwrnod y bencampwriaeth genedlaethol ro'n i'n llonydd yng nghanol llu o ddeifwyr oedd ar bigau'r drain. Beth bynnag oedd yn digwydd, roedd popeth yn iawn. Doedd dim ots os nad oeddwn i'n ennill y teitl. Roedd Mam wedi dweud hynny yn stafell y gwesty y noson cynt.

Fe ddywedais bopeth wrthi hi a Dad am fy ymweliad â'r cwm cudd, a wnaethon nhw ddim torri ar fy nhraws unwaith. Pan orffennais edrychodd hi ar Dad a mwythodd e 'ngwallt yn ei ffordd arferol a gadael yr ystafell.

Dywedodd Mam, 'Pan benderfynon ni dy fabwysiadu di, roedden ni'n cymryd cam i'r tywyllwch. Doedden ni ddim yn gwbod dim amdanat ti ond dy fod wedi cael dy adael yn ddiymgeledd. Roedden ni'n nerfus iawn, Daniel. Ro'n i'n edrych arnat ti o hyd ac yn meddwl, shwd un fydd e? Shwd ŷn ni'n gwbod ei fod e'n iawn i ni? Beth os nad ŷn ni'n ei hoffi e? Fe gymerodd hi tua dau ddiwrnod i mi fod yn siŵr fy mod i dy eisie di, a dwy byth, byth wedi newid fy meddwl ers hynny. Ond, wythnos ddiwetha, cyn i ti fynd bant, ro'n i'n meddwl 'mod i wedi dy golli di. Doeddwn i ddim yn gwbod lle roeddet ti'n mynd, ond ro'n i wedi gollwng gafael ynot ti, ac ro'n i'n gobeithio y byddet ti'n dewis dod 'nôl.'

A dyna lle roedden nhw yn oriel y gwylwyr, gyda Meilyr a'i dad, ac Eleri. Dwy erioed wedi

159

cael cymaint o gefnogwyr. A doedd dim ots os o'n i'n ennill ai peidio. Dyna beth oedd yn dda.

Ond ro'n i'n deifio'n dda. Ro'n i'n gwybod hynny. Ro'n i'n teimlo'n dda am bopeth. 'Daniel Huws.' Galwyd fy enw ar gyfer y rownd ola a dringais i'r bwrdd uchaf. Trodd yr wynebau oddi tanaf yn niwl o binc. Ro'n i ar fy mhen fy hun eto. Ac ro'n i'n hollol lonydd. Bore 'ma dywedodd Carwyn wrthyf 'mod i wedi bod yn deifio fel breuddwyd ers i mi ddod 'nôl.

'Rhaid bod yr egwyl 'na wedi gwneud lles i ti, wedi'r cwbwl,' meddai ef gan grafu ei ên. 'Dwyt ti ddim yn deifio fel crwt sy'n dilyn cyfarwyddiade ragor. Rwyt ti'n deifio fel dyn ifanc sy'n gwbod i ble mae e'n mynd.'

Cerddais at ben blaen y bwrdd ar gyfer y ddeif olaf, yr un oedd i fod yn gampwaith. Ro'n i'n cyfri'n araf yn fy mhen. Sefais, yn hyderus ac yn llonydd. Lledais fy mreichiau, pob nerf wedi'i ganolbwyntio ar yr hyn oedd i ddod, a minnau wedi rhewi yn fy safle aros. Doedd dim un sŵn i'w glywed. Gwelais gwm niwlog, a merch fach â gwallt melyn yn sefyll ar ben bont. Gadewais iddi nofio i ffwrdd, ymhell o'm meddwl. Roedd fy mhen yn glir.

Hyrddiais lan a mas trwy fy mreichiau o'm safle llonydd, fel mai awyr yn unig oedd yn fy nal. Trois, a throi eto, hanner tro arall. Ro'n i fel neidr gron yn cwympo fel carreg o'r awyr. Ac yna dyma fi'n ymestyn mas ac i lawr, yn ymestyn mas yn hir, yn dynn, ac yn gyflym, gan rwygo'n lân trwy'r dŵr.

Ro'n i gartref.